KB213328

이육사 시맥 문학상
수상집

대한민국항일문학시맥회

이육사 시맥 문학상 수상집

초판인쇄 | 2024년 3월 28일 **지은이 |** 이도연 이창원 이현주 장계숙 정연국
펴낸이 | 김영태 **펴낸 곳 |** 도서출판 한비 CO **출판등록 |** 2006년 1월 4일 제 25100-2006-1호 **주소 |** 대구시 중구 남산2동 938-8번지 미래빌딩 3층301호
홈페이지 | http://hanbimh.co.kr **이메일 |** kskhb9933@hanmail.net
전화 | 053)252-0155 **팩스 |** 053)252-0156

ISBN 979-11-6487-107-0
값 15,000원

이육사 시맥 문학상
수상집

대한민국항일문학시맥회

| 이육사 |

이육사는 대구형무소에 수감되었을 때의 죄수번호 264번을 빌려'
대구이육사(大邱二六四)'라는 호를 썼다. 모두 17번의 옥고를
치렀다.
중국과 서울을 오가면서 독립운동을 하던 중 1943년 가을 서울
에서 붙잡혀 베이징으로 송치되어 1944년 1월 베이징 감옥에서
작고 하였다.
1946년 아우 이원조(李源朝)에 의하여 유고집으로 『육사시집(陸
史詩集)』 초판본이 간행되었다.
1945년 12월 17일자 자유 신문에 발표된 〈광야〉는 나라의 독립
과 민족의 자유 회복을 바라는 이육사의 염원과 집념이 가득 찬
시어로 현실을 극복하고자 하는 투철한 의지가 느껴지는 시이다.
1968년 시비가 안동에 건립되었다.

광야

까마득한 날에
하늘이 처음 열리고
어디 닭 우는 소리 들렸으랴.
모든 산맥들이
바다를 연모해 휘달릴 때도
차마 이곳을 범하던 못하였으리라.
끊임없는 광음을
부지런한 계절이 피어선 지고
큰 강물이 비로소 길을 열었다.
지금 눈 내리고
매화 향기 홀로 아득하니
내 여기 가난한 노래의 씨를 뿌려라.
다시 천고의 뒤에
백마 타고 오는 초인이 있어
이 광야에서 목 놓아 부르게 하리라.

| 서문 |

항일의 위상을 정립하자고 친일을 색출하여 단죄하는 일이 사회의 관심을 끌고 칭찬이 되다보니 정작 항일에 대한 관심은 사라지고 친일 척결이 시대의 사명이 되어 항일에 대한 관심은 멀어지는 '악화가 양화를 구축'하는 격이 되고 있다.

항일정신을 계승·발굴·보존·확장하자고 진행하는 행사들도 항일에 초점을 맞추기보다는 행사 주최의 홍보와 위상을 세우려고 하는 뜻이 더 많이 포함되거나 특정일에 일회성으로 그쳐 동조나 공감동 참을 얻지 못하고 있다.

항일문학 역시 심도 있는 연구를 통하여 항일문학에 대한 바른 이해와 정신을 잇고 의의를 조명하여 항일문학의 위상을 정립하여야하지만 일등 제일주의와 일등 나열주의 그리고 상금으로 인한 배금주의로 문학상을 둘러싼 잡음과 상금을 노리는 문학상 사냥꾼까지 등장하는 일이 발생하여 항일문학이 조명되기보다는 수상자와 상금에 더 관심이 쏠려 항일문학의 숭고한 뜻과 정신이 퇴색되고 있다.

본회는 이러한 현상을 지양하여 진정한 항일의 가치·정신·의미를 조명하여 널리 알리고 일반의 동참을 이끌어 내기 위하여 일등 제일주의와 배금주의로 일인이 독식하는 문학상을 배제하고, 특정한 곳에서 후원으로 제공하는 상금으로 인한 잡음을 차단하고자 외부로부터 일체의 후원을 받지 않고 오로지 항일문학의 정신과 의의를 계승·전파하는 것을 목표로 하여 문학상 수상자의 수상은 항일문인과 작품 그리고 수상자 작품을 함께 실은 수상집으로 대신하여 대중에게 다가가는 항일이 중심이 되는 작업을 이어가고 있다.

차례

이
도
연

이
창
원

이
현
주

장
계
숙

정
연
국

이
도
연

한국문인협회 인천문인협회 수필분과 정회원

대한문학세계 시, 소설 부문 신인문학상수상

(사)창작문학예술인협회 회원

대한문인협회 인천지회 기획국장

인천광역시 객원기자

인천재능대 특임교수, 일학습병행 사외 위원역임

방송통신대 국어국문학사

[저서]

『시선 따라 떠나는 사계』(에세이)

1권 시와 깨달음, 2권 겨울로 가는 숲

『흐르는 물』 (시 산문집)

『빛으로 염원으로 다산 정약용』 (장편 소설)

수상 소감

이육사의 시맥을 이어 글을 쓴다는 것은 하나의 벅찬 감동이자 영광으로 생각합니다.
그러나 범접하기 어려운 그의 절개에 대한 크나큰 죄일지도 모른다는 생각이 앞섭니다.
부족한 글로 선생의 이름을 빌려 말하기에 부끄럽지만, 작가된 자로서 존경하는 선생의 깊고 강인한 정신과 글 속에 역사의 혼을 불어넣고자 했던 마음을 본받고자 용기를 내봅니다.
쉽게 타협하고 힘없이 부러지는 나약함이 문장을 어둡게 하고 정신을 흐리게 하는 시대의 강을 건너 살아온 많은 문객 중에 목숨을 구걸하지 않고 명예를 끝까지 지킨 이육사 선생의 혼을 기리며 부족한 문장과 글을 함께할 수 있어서 2024년에 받는 크나큰 선물이라고 생각합니다.
작금의 시대를 살아가는 우리지만, 문객으로서 본분을 명확히 하여 올곧은 글을 쓸 수 있는 작가가 될 것을 다짐해 봅니다.
아울러 나의 부족한 문장이 누군가에게 조금이나마 희망이 되고 문학을 함께 사유할 수 있는 기회가 되기를 희망합니다.
끝으로 이 지면을 함께 할 수 있도록 선정해 주신 이육사 시맥 관계자 여러분께 깊이 감사를 드립니다.

부재에 부재를 더하다

가늘게 울리는 벨 소리
허공을 가로지르며 미지 공간에 벽을 두드린다
일정한 간격의 정적이
오래 묵은 신호처럼 메말라가고 있다

검은 장막은 열리지 않고
희미하게 흩어지는 닿을 수 없는 미지의 영역은
들리지 않는다

긴 침묵 뒤에 들려오는 부재의 벽
넘을 수없는 묘령 여인의 기계적인 목소리가
송곳이 되어 메아리친다

끊고 누르고 다시 걸고 누르고
막연한 기대감 뒤 침묵
온갖 사념이 밀물 되어 다가서고

막연한 그리움

분노는 시름시름 앓아가는 근심이 된다
받을 수 없고 전할 수 없는 부재의 사연

낡은 잡지가 찢어지는
삭은 숨소리만
전화기 속에서 오래도록 맴돈다.

세월의 바람

북풍이 서풍을 밀어내
또 한 계절이 저만치 달아나고
찬바람이 얼굴을 매섭게 할퀴자
까칠하게 드러난 목덜미에서 겨울 냄새가 난다

낡고 헐렁한 육신에 스미는 바람이
날카롭고 견고하게 송곳처럼 늑골을 투과해
썰렁한 한기가 반대편 틈새로 숨어들었다

견딜 수 없는 상처의 고통이
추위보다 심하게
강파른 영혼으로 파고드는 것은 슬프다

공기 속에 고여 있는 툰드라의 얼음
바람이 없어도
면도칼 같은 추위가 피부를 날렵하고 예리하게
벼리는 아픔

겨울 한기에

소리 없이 박제되는 그들의 빙하기가

긴 한숨 속으로 얼어간다.

물의 절명

이름 모를 산골
뭇 새들 가느다란 목을 적시고
작은 짐승들 쉼터였을 가녀린 물줄기
깊은 계곡 발원하여 녹록치 않은 여정의 시작

산맥과 산줄기 돌아들어
태산을 휘감으며 힘차게 뻗어 내려가
기암절벽을 뛰어넘어
천둥 울음으로 폭포가 되었더니

천둥소리 숨죽이며
계곡물 흘러 다정한 시냇물 되어 흐르다
여울목 숨 고르기도 잠깐

유순한 물줄기 농가를 적시다
끊어질듯 이어지는 생명의 멀고 먼 고행
만나고 헤어지길 수천 번
기어이 만나고 겹쳐 강을 이루어

수만 리 세월을 흘러왔구나

늙은 강은 하류에서 끝내 장엄한 서사를 그리며
바다에 이르러 영원한 삶을 찾은
숭고한 물의 절명은 아름다웠다.

갈증

검은 사막에
물 한 방울 흐르지 않는 메마름
꽃을 피우고 싶다

꽃을 피우려는 마음보다
꽃이 지는 상실감이 더 두려운 거지
꽃이 차라리 피지 않는다면
언제인가 피겠지
기대감에 기다리고 기다린다

꽃이 피는 순간 꽃은 지겠지
꽃이 아름다운 만큼
슬픔은 더없이 아프겠지만

꽃아, 피우지 마라
꽃아 천년의 세월의 아픔을 아느냐
절실한 만큼 꽃이 피는 것은
더 아픈 낙화를 바라보아야 하는

슬픔은 더욱 슬프다

꽃아 피우지 말고
꿈속에 영원히 너를 가두어
오랜 기다림과 기대감으로 나를 가두고
너의 영혼이
피고 지는 것을 보고 싶지 않다

영원히 사는 것은
소멸을 받아들이는
영생의 길을 가는 것임을 안다.

기차는 떠나가고

커다란 느티나무 아래
새집처럼 걸려 있는 폐역에서
이름 모를 새가 운다

기우뚱 할머니 장롱 같은 문이
덩그렇게 걸려
삐걱삐걱 세월의 울음을 삼킨다

먼지 나는 적막이 조붓한 역사로 들어간다
낡은 역사의 이름은
흐릿한 기억 속에 지워져 바랜 풍경은
을씨년스럽다

열차 시간 안내표
늙은 군인의 계급장처럼 낡은 벽에 붙어
바람에 풀럭인다
상행 하행 어디로 가야 하나 물먹은 글자

빗물에 증발한 간판 위 상호
눈동자 없는 눈처럼
퀭하게 걸려
파랗게 비어버린 골목을 지키고 있다

삐딱하게 기울어진 의자 뒤
무표정하게 걸려 있는 거울에 사람이 산다
육십 아니 칠십
나이를 짐작할 수 없는 누런 남자

그 남자 왠지 낯설지 않은
빈 자루처럼 몸을 접고 뚫어져라
나를 쳐다본다.

세월의 음표

파란 바람이 낮게 깔리다
떨어지는 낙엽을 훔쳐 높이 솟아오른다
습자지처럼 팔랑거리는 낙엽 하나
물빛 하늘에 음표를 달았다

나풀나풀 바람을 타는 낙엽이
4분 음표를 그리다 16분 음표로 바뀐다
언제나 분주한 내 삶을 닮았다

아른아른 올라가는 낙엽이 익어가는 가을을
베어 물어
상큼하고 들큼한 아니 구수한 냄새가 났다
가을이 지나는 생경한 계절의 향기를 반긴다

이름 모를 그곳에 전하는
낙엽에 써 내려간 벌레 먹은 사연 한 잎
멀리 날아가 시야에서 사라져
아련한 그리움에 눈시울 붉어진다

날리는 낙엽 한 잎

산다는 것, 소리 없는 위안을 받았어

쓸쓸한 가을은

가을에는 늘 그랬다.

밤에 우는 파도 소리

태고의 바다가 잠들어 있어
심연의 깊이를 알 수 없음이라
포효하는 바다는 바람을 몰고
밤바다는 말이 없구나

밤새 섧게 울던
원양 바다는 기필코 달려와 이곳에 닿았구나
요동치는 너의 심장을 보았어
멍들어 지쳐 우는 파도야 어쩌란 말이냐

밀려오는 파도는 등 푸른 어류처럼 빛나고
꿈꾸던 피안의 바다는 깊고 멀지만
밤바다 휘몰아치는 너의 포효 듣지 못하였거든
동해 밤바다 보았다 말하지 말아

칠흑 파도야
벅차게 뛰어오르는 너의 포말 내게로 달려와
산산이 헤집고 어디로 가느냐

파도야 어쩌란 말이냐 터질 듯한 이 마음

노을 등지고 달려온 동해 밤바다
산란한 이 마음
사랑도 미련도 그리움마저
밀려오는 바다에 혼담아 심연의 바다에
잠재우련다.

여인의 옷깃에서 겨울이 온다

또각또각 여인의 발자국 소리
왠지 모를 단조로움이나 급할 것 없는 여유로움
길을 걷는 여인의 뒷모습
갈색 바바리코트가 자연스러운 계절
코트 깃을 세운 여인의 겨울

하이힐이 바닥을 두드리며 떠나는 길고 짧은 여운
가을이 오고 가고 있구나
언제 오고 가는지
누구도 예측할 수 없는 계절
옷깃이 바람을 재운다

한 계절에 머물던 파란 하늘
다정한 모습의 변화
눈부시게 시린 물빛 겨울 하늘
누군가 방금 머물다간 정갈한 호수같이
단아하거나 깔끔한 자태

고요와 적요의 오래 묵은 길 위
시위하듯 오랜 세월을 지켜낸 가로수
홍조를 띠어
노랗게 익어 붉게 수줍은 가을의 흔적
화르르 길 위로 뿌린다

농밀하게 익어가는 원숙한 여인의 향기
겨울이 오는 소리
길 위에 발자국
당혹스러운 낙엽의 항거에 밀려오는
가을의 흔적을 밟고 나 하나의 계절을 넘는다.

아름다운 비련

퉁퉁 부은 침묵 위로 비가 내린다
누군가 울고 있다는 걸
눈치 챈 하늘이 눈시울을 붉히고 있나

길모퉁이 커다란 나무 그림자
창가에 일없이 기웃거리고
비에 젖은 창이
밭은 기침하는 소리를 내며 흔들리는 오후는
처량하다

허기진 마음을 달래려는 헐렁한 옷깃에도
속절없는 바람이 집요하게 파고드는 허망

은사시나무 흔들리는 숲에서
길 잃은 나무들이 서성이며
남몰래 감춰둔 사연을 이야기하는지
달그락거리는 소리가 비에 젖는다

누군가 사연이 한숨으로 저물고
애틋한 사랑의 미소는
백사장 모래 알갱이처럼 부서진다

날은 저물어
한밤에 울리는 노래는 맑고 투명한 눈물이
상처 난 사연에 흠뻑 젖을 때까지
비 오는 거리로 감미로운 슬픈 향기를 실어 나른다.

고향의 달

서리가 내린 초로
고향의 들길에서 눈을 감았다
할머니 어머니 음성이 들길에 낮게 깔려
귀를 간지린다

소년은 유년의 들판을 간다
넓고 아득한 들판에서
풀 향기 가득 올라와 터질 것 같은 심장에서
커다란 북소리가 났다

까무룩 한 어둠이 짙게 내려앉은 밤
늙은 가로수가 즐비한
들판을 가로질러도
함께 달리던 달이 둥실둥실 노닌다

소년의 들판은 아늑한 고향
시내에 풍덩 빠져 버려 두 개의 달과 어울려
물빛이 환하게 빛을 품고 흘러간다

어둠은 달빛 아래 무력했다

소년이 어둠을 밀어내자
눈 속으로 달빛이 녹아 들어온다
달빛을 천천히 조금씩 먹던 소년은
노인이 되었다.

꽃의 몰락

오래 묵은 기와 위
다소곳이 떨어진 노을빛 꽃 한 송이
낙화도 곱더라

파란 하늘 벗 삼아
둥실 동실 피어나
청춘 푸름이 엊그제인 걸

산들거리는 실바람
계절의 무게 견디지 못해
어느덧 낙화라니

그래도 흙길에 밟히지 않고
바람에 날리다 흩어져 상처받지 않았으니
황혼의 낙화는 행복하지

양지바른 처마 위에 정물 같은 풍경으로
고즈넉하게 내려앉아

낙화도 풍경이고 삶인지라

너의 고운 자태 잃지 않았으니
산사에 종소리 들려오는 저녁 무렵
부럽기가 그지없다.

노을 마시기

노을이 능선에 기대여 숨죽이는 시간
알싸한 마법의 액체
산 넘어 저무는 노을 맛이 목을 적신다

온몸에 열꽃처럼 번지는 황혼
알싸한 그 맛!
혈관을 타고 흐르다

소리 없이 지는
일몰 시각은 황홀하다
한잔 또 한잔
기우는 노을 잔
붉은 홍조로 물들이다 끝내 절명하는 노을

어둠의 어깨를 짚고 불콰해지는 취흥이
달빛 아래 찰랑인다.

늙은 소년의 가을

아스라한 풀잎 사이로 소년이 간다
여름의 절명은 서늘한 바람 끝에서 시들고
흐드러지던 밤꽃 끝에서
가시 돋친 가을 사랑이 영글어 간다

안개를 따라가던 고샅길 끝에서
가을이 오고 계절이 나이를 먹는다
상큼하게 불어오는 바람이
창공을 날아가는 새 등에 내려 앉아
은빛 햇살이 잘게 부서진다

소년은 침묵하고
길가에 흐드러진 코스모스가 시심을 흔들어
유혹하는 계절
찬란한 빛으로 번뜩이는 계절은 성스럽고 경건하다
빈들에 가득 자라난 황금빛 풍요

농부의 해맑은 미소가 들판을 가로지르는

소년의 발걸음 따라 추수를 시작한다
또 한 계절이 등이 보일 때쯤
들꽃 향기 흐드러진 노을이 선홍빛 구름을 끌고
한 해를 넘는다.

풍문으로 들었소

까르르 자지러지는 웃음소리 모두 배를 움켜잡았다
마을을 떠돌던 풍문은 꽃가루처럼 바람을 타고 날리다
우물가에 싹을 틔우고 부풀려지고 살이 오른다
그 끝에 수군거림과 외면 그리고 웃음은 가식

오래 묵어 버려진 우물가 대신
우물이 뜨거워지고 커져서 부풀려진 찜질방으로 모여들었다
목소리가 넘을 담이 없는 이곳
단체복을 입은 그들은 뜻을 모으고 서로 동의를 구했다

끄떡임의 암묵적 동의의 생명력 풍문은 싹을 틔우고
뿌리를 내려서 팔색조로 변하고 죽거나 살아남았다
풍문은 꼬리를 물고
논평과 긍정으로 숙성된 사실이 되었으며
이곳에 없는 자들은 모두가 주인공이 되었다

흥미로운 소문은 억측과 추측으로 발효되어
뼈대가 만들어지고 살이 올라 입에서 입으로

바람보다 빠르게 달려 나갔다

무료함을 달래기 위해 물고 뜯고 씹는 것처럼 즐거운 것도
없는 법이지

각자가 보유한 풍문의 진상을 법정에 세우고

검사가 되고 변호사가 되어 진위를 가린다

입은 판사가 되어

풍문은 실형을 선고하며 우쭐하게 웃었고

모두가 가자미눈을 가진 사람들이 모여 앉았다.

망각의 섬으로 가는 길

고인 물이 발목을 적시고
목덜미를 움켜잡는 바람은 유령처럼 울었다
오래 묵은 감정이 음습한 이끼처럼 돋아난다

기억 저편 것들이 담쟁이처럼 기어올라 다가오고 있다
애꿎은 날씨를 원망하며
별자리를 바라보며 심하게 입덧하는 누이는
붉게 상기된 얼굴을 밤하늘에 묻었다

주렁주렁 달린 가로등이 어두운 기억을 밝히고
어둠은 더욱 깊은 골목 속으로 고여간다

망각의 섬으로 가는 길
백색으로 탈색된 머리칼이 힘없이 흘러내리자
노인의 얼굴은 철없는 아이 표정을 지었다

고집불통의 아이는 비가 그칠 때까지 떼를 쓰며 울었어
영원히 살 것 같던 생명이 샛별이 질 때마다 하나둘 사라졌다

표를 든 승객은 줄을 서고
차례를 기다리는 시간은 빠르게 다가온다
빗물은 창을 두드리고 사람들은 물었어? 행복하냐고

섬으로 가는 문이 열리고 굳게 닫히자 핼쑥한 얼굴 위로
하얀 손이 겹치며 느릿한 동작으로
슬픈 이별을 고했다.

별 헤이는 소녀

한 무리 아이들이 어둠을 타고 바람을 밀며 사라지자
붙박이별들이 눈을 깜빡이며 반짝인다
아이들이 잠드는 시각
별은 빛의 계단을 밟고 호수에 내려와 노란 등불이 된다

물빛으로 목욕한 별 무리는
호수에서 더욱 아름답게 초롱초롱 빛을 밝힌다
까무룩 한 새벽이 오고
젖은 등불이 모두 물속으로 가라앉자
소녀의 눈에 그렁그렁 눈물이 고인다

밤마다 별을 헤는 소녀는
마지막 등불이 호수 밑으로 잠들 때까지 밤을 지킨다
새벽이슬이 소녀의 눈에서 떨어져
풀등 위를 구르며 영롱하게 반짝일 때마다
소녀는 말없이 길게 목울음을 울었다

별을 애도하고 호수의 등불이 침강하는 풍경을 슬퍼하며

모두가 떠나간 정적 뒤에
밀려오는 적요의 끝을 붙잡는 일은 아프다

이 밤도 누군가의 별이 지고
등불은 슬픔에 젖을 테지만 샛별이 떠오르는 그날을 위해
어둠을 밀며 별을 헤고 기도한다.

길 위를 걷는 남자

오늘도 길 위에 서서 초가을 향기에 취해 웃자라
발목을 잡는 들풀과 시선 끝에 매달린 푸른 하늘을 본다
내 삶의 기록이 멈추는 날까지
숙명이라는 이름표를 달고 걸어야 한다고 내 삶이 등을 떠민다

가파른 길에서는
겁먹은 강아지 심장이 가련한 풀끝에서 숨 쉬고
때로는 구름이 허공에서 짖어 댄다

막다른 골목길이 침묵으로 막아서면 폐선처럼 정박하고 몸을 떨다
어둠을 밀어 적막 속에 쓰러지듯 바람이 걸어 나온다

황량한 들길에서 한 떨기 풀잎 호리 낭창 꽃 한 송이
허리 흔들어 유혹하지만 외면하고 길을 걸으면
꽃은 제자리에 있어 향기가 대신 발걸음 하고
돌아보면 바람만 고여 아무 것도 없다

구름이 태양을 거두어 소낙비가 광염 소나타를 연주하며
대지의 건반을 두드리고 지나간다

나무에 매달린 수많은 이파리가 물기에 젖어
안절부절 길을 걷는 발등에 눈물을 흘린다.

화두

서로를 팽팽하게 당기던 현이 툭 하고 끊어진 순간
세상의 모든 소리는 잠들었다

느닷없이 필라멘트가 끊어진 전구
순간의 암흑과 한 순간 분리된 허탈한 상실
느슨하게 풀어진 모든 것과 보이지 않는 막막함
아득한 절벽 아래로 추락하는 무기력

바람으로 찾아온 병마로 인한 사형선고
사랑하는 사람을 떠나보내야 하는 슬픔
살아가면서 느꼈을 좌절의 정점들

산 사람은 살아야지
절박한 죽음 앞에서 들어야 하는 빈곤한 위로
실패와 좌절로 인한 미래에 대한 불신 시대는 슬프다

모든 것은 산자의 숙명이라는 것을
이런 고통에서 자유로울 수는 없는가

물음표가 꼬리를 문다

해탈의 경지에 이르면 답을 찾으려나
비우고 또 비우면
남는 것은 무엇이고 채워지는 것은 무엇일까
깊은 잠에 들면 영원히 사는 것인가

내 비루한 육신과 빈약한 정신을 향한
고뇌에 찬 화두는
오늘도 힘겨운 줄다리기가 한창이다.

능내역

능내역에 서면
아련하게 왔다가 아득하게 사라지는 막연한 그리움

칠월 햇살을 온몸으로 받으며
끝없이 늘어진 폐철로 위를 걸으면
지금은 다니지 않는 열차가 방금 떠나간 듯
기적소리 대신 텅 빈 공허가 맑게 깔려있다

많은 사연을 싣고 떠나가고 두 손 흔들던 그곳
늙은 느티나무는 그 세월을 간직한 체
아직도 푸름이 건재하다

느티나무와 함께 늙어버린 역장의 단정한 제복은
사진틀 속에서 박제되어 환하게 웃고 있다

어디로 보내는 사연일까
지금은 보낼 수 없는 사연을 아는지
붉은 우체통이 사람들의 친구가 되어 추억을 찍는다

술 냄새 익어가는 오래된 주막
도토리묵 한 접시에 두물머리 강바람 풍경 삼아 막걸리 한 잔이면
지나간 추억을 소환하기에 이만한 그림도 없지

능내역에 서면
과거는 추억이 되고 오래된 것을 배경 삼아
내일의 추억을 만지작거리는 우수에 찬 사람을 만난다.

이방인의 땅

산 아래 사람이 산다
빌딩도 차도 모두가 장난감 같은
많은 사연을 품고 사는 그곳 사람들

익명으로 사는 그들의 이름 403호 남자 404호 여자
같은 공간 벽 하나 두고 살아도 목례나
대면의 기회조차 생략된 무명의 사람들

비 오는 날
아무도 알아주는 이 없어 비처럼 울어도
설원의 눈처럼 웃어도 신경 쓸 일 없는 공간

산 아래 골목에 사람이 산다
산 아래 골목길 옥탑방 위에 사람이 산다
며칠을 보이지 않아도 아무도 모르는
관심 밖에 존재하는 그림자

누구의 죽음도

익명의 독거노인 이름표를 붙인다
모두가 무명으로 사는 사람들
그들이 도시의 주인공이라고 말하고 싶겠지만

산 위에서 바라보는 아득한 도시는 주인이 없고
퍼즐 닮은 대지 위를 익명의 시조새가
침묵하며 날아간다.

열차는 간이역에 서지 않는다

더 이상 열차는 멈추지 않았어
바람을 가르는 쇳소리

원형의 쇠바퀴가 철로를 구르는
고통스러운 신음 많이
일정하거나 불규칙하게 허공을 흔들고

굉음에 놀란 플라타너스들이 일제히 일어나
몸을 흔들어 이파리를 화르르 뿌린다

빛바랜 파란 문이 역사 입구에 매달려
덜커덕 벽을 두드리던 오후
소년은 멀어져 가는 기차를 바라보며
오독한 고독을 느끼며 침묵했고

소녀는 노란 칠이 퇴색된 난간을 붙잡고
두 눈을 꼭 감고 열차의 흔적을 지웠다

기억할 수 없는 얼굴들이 하나둘 스치고
지나간 열차의 차창에 어른거리다
이내 자취를 감춘다.

유리병 속의 새

계절이 지나는 길목에서는
저항할 수 없는 투명한 광휘에 휩싸여
유리병 속, 새처럼 울었다

계절의 미로로 들어가는 길
숲의 끝은 알 수가 없어
새의 날개는 전나무 숲, 우듬지에 닿을 수 없었다

발뒤꿈치로 걷는 길
오래전 일이다 아주 오래된 시간을 지운다
기억을 지우는 일은 고통을 감내하는
새로운 시를 쓰는 일인 거지

계절의 숲으로 깊이 걸어 들어갈수록
전나무 숲에서 추위에 떠는 새 울음소리가
그해 겨울밤 오래도록 들렸다

나뭇가지 사이로 산란하는 빛의 입자들

또 한 번 청춘의 계절이 지나는 소리
얼마나 긴 목울음 울어야 하는지
나이테가 자라는 숲에서는 알 수가 없다.

겨울비 길게 울던 밤

먹빛 구름이 모여들었다
중력을 이기지 못한 빗방울
세찬 하강
양철지붕 위 무차별 맹폭
여러 방향으로 비산과 낙하
불규칙한 것들의 규칙은 난해하다

여러 길로 갈라지는
허술한 소리에 집중하면
점차 하나로 모아져
단단해지는 빗소리에 무게감이 실린다

서로 다른 각도를
일정한 리듬 속으로 튀어 오른다
귀 기울일수록 증폭되는 무음
질서와 무질서 사이에
감지하기 어려운 소리, 또 겹치는 소음

무거운 공기에 억눌린 바람의 마찰
파도처럼 들썩이며 세차게 흔들리는 창
샛잠에서 깨어난 포유류
밤잠은 길고 긴
오랜 적막의 늪으로 빠져들었다.

시간을 길어 올리는 남자

삶에서 삶을 제거하고 남은 부재함
삶의 우물에 고여 있는
새파란 그리움

빼고 더하고 남은 것 없는
공식의 무의미
속절없이 흘러간 강물아!
영혼이 분리된 허울에 드리워진 그림자

부재의 적요는
심연의 우물에서 퍼 올리는 시심을 마시며
슬프게 걸어가는 스산한
겨울 고독이라도 좋다

그리움 향한 향수라도 좋고
막연한 염원이라도 좋다
적막의 가을에 혼자라는 생각이 들 때면
들풀의 일렁임도 예사롭지 않았어

투명한 물빛 하늘 아래
천 갈래 흩어지는 바람의 길을 찾아 걷는 길
빙하의 계절에
신성한 고독의 칼날에 살해당한 영혼
슬프도록 아름답게 쓸쓸해서 행복했다.

운명의 길

모질게 이어진 영혼의 탯줄
사금파리 같은 달빛이 머리 위에 비출 터이다

두려움 없이 길을 가라
가시밭길을 걸을지라도
길게 드리운 죽음의 그림자가
내려앉을지라도

영혼을 지키는 육신에 평안을 주리라
거칠게 울리는 야생의 소리가 들려오는 날
달빛에 조아리며
영혼의 노래를 불러라

사랑의 이름으로
어둡고 좁은 통로를 지나
넓은 대지의 모성에 기대여 가라

두려움에 집착하지 말고

양들의 평안을 노래하고 자유를 방목하여
푸른 초목을 먹게 하라

사랑의 이름으로
깊게 껴안아 존중하며 사랑하라
이제 그 길을 두려움 없이 가야 한다.

가을꽃 연가

노을빛에 흔들리는 섹시한 자태
실바람 허리 흔들어
유혹하는 눈길
거부할 수 없는 운명적 사랑의 전조

바라만 보아도
현기증 나는 고혹적인 매력에
눈멀어 눈 뜨고 고개 들기 어려워
사랑에 빠진 나

투명하게 빛나는 속살
만지면 흘러내릴 것 같은 부드러운 촉감
영롱한 이슬 먹음은 입술
아! 황홀한 입맞춤

부드럽게 올라간 속눈썹
매력적인 눈웃음
오래도록 잊을 수 없는 매혹의 향기
그날 사랑의 포로가 되었다.

해빙의 산고

젖은 강물 위로
겨울이 오랜 입덧 끝에
앞가슴 풀어 헤쳐 해산한다

산고의 고통은
귀를 세우고 쩍쩍 갈라져 고통을 밀어 내며
달그락거린다

결빙의 시간이 풀어져 봄으로 가는 길
수다스러운
해산의 시간은 길고 먼 길을 간다

봄이 따라가는 발걸음도 인식 못 하고
긴 시간
여행의 종지부를 찍으면

물길 끝에서
겨울을 풀어 놓고 봄을 잉태하는

성대한 의식을 거행한다

물안개 피어나는 강 언덕에
펑펑 터지는 꽃망울이
경쟁하며 들녘으로 달려 나가는 소리

게으른 아지랑이
꽃 햇살을 잡아당기며
아른아른 몸 흔드는 봄을 예고한다.

지붕 위의 남자

그 남자의 옥탑방 산 19번지
밤이면 어둠이 짙은 하늘로 천천히 걸어 오른다
고물 망원경이 반짝반짝 빛을 토해내
어둠을 탐색한다
죽은 영혼을 찾는다고 했다

손 한번 제대로 써보지 못하고 별이 된
아내 찾아 별밤을 헤맨다고 말했다
어린아이 영혼이 만들어 낸 샛별이
영문 모르고 멀뚱멀뚱 깜박이는 것은 슬프다

까마득하게 높은 곳에서 아주 오래 전 별이 된
할아버지의 할아버지 별들이 느릿하게 움직인다고 했다

옥탑방에서 잠들면
그는 어느새 검은 밤하늘 노 저어가는 별을 길어 올리는 어
부가 된다
밤을 사랑한다고 했다

죽은 영령들이 별이 되어 반짝이는 순간 영원히 사는 것을 믿었다

어둠이 더욱 짙어질수록 찬란하게 밝아지는 밤하늘
별들의 눈물이 뚝뚝 떨어진다
그 남자는 오늘도
옥탑방 산 19번지에서 깊은 잠을 타고
밤하늘 별들의 눈동자를 길어 올린다.

시간이 지나는 풍경

돌담을 달구던 폭염의 극성
늙은 느티나무 바람 부르는 소리
태풍이 살금살금 꼬리를 물었어

한여름 끝자락을 몰아내며 태양 반대편으로 날아가는 홀씨
거칠어진 민들레 이파리가 웃자랐다
그는 길을 걸었고
지는 해 등지고 숨은 그림자 밟으며 길을 재촉했어

늘어진 소맷자락 타고 흐르는 땀방울이 질척여 손을 세차게 흔들었지
어둠이 몰려오는 소리에 놀란 늙은 개가
허공을 향해 부질없이 짖는 땅거미

골목을 누비던 붉은 혀가 까맣게 탈 때
골목길을 지나는 발걸음 따라 동전의 달그락거리는 소리
바람이 목덜미를 어루만진다

깨진 가로등이 제 할 일 인양 어둠을 밀어내는 노동
흐릿한 빛을 힘껏 잡아당기는 계절의 시간이 저물어간다

하루 시간을 세다 지친 골목에 어둠이 고여
새하얗게 하루를 지우는 일에 열중일 때
그는 배가 고프고
가을로 가는 시간이 바람처럼 달려간다.

노년의 제국

오래 묵은 강물이 범람하던 날
늙은 소년은 강가에서 잠이 들었어
강물 따라 밀려오는 기억 저편의 이야기

나이 먹은 사람들은
기억 우물에서 가장 젊은 날을 두레박으로 길어 올려 마셨어
우물에서 꽃잎 날리던 청춘이 싱싱하게 피어오른다

내 생에 가장 젊은 날
사람은 추억에 기대여 살기도 하지
지난날 꿈속은 영원히 젊은 날이요 아름다운 강을 따라 걷던 시절

긴 강을 흘러오며
강물 위로 떠오르던 어류의 죽음을 외면하곤 했어
기억하기 싫은 것들은 발치 멀리 밀어놓고 소환하길 꺼렸지

짧은 순간 스쳐간 기쁨과 행복

물안개 속에서 피어나는 아름다운 수련 한 송이
말없이 간직하고 살아가야지
늙은 소년의 소박한 꿈이 강에서 꽃으로 피어나는 순간이야

한겨울 굴참나무껍질이 피부에 돋아났어
세월의 훈장이라 생각했지
하지만 한 꺼풀 피부에 돋아난 주름을 또렷하게 보여주는
거울은 보기 싫었어

거울을 원망하는 일은
찬바람이 사지에 스미는 고통을 감내하는 일인 거야
강변 하구로 타들어 가는 노을이 영혼을 끌며
천천히 소멸 의식을 치르던 날

침강하는 노을이 붉을수록 황혼은 아름다운 것이라고
늙은 소년은 강가에 영원히 청춘으로 잠들기를 원했다.

이
창
원

경북 안동 출신, 경기도 김포 거주

월간한비문학, 문학세계, 문예춘추 2008년 등단(시, 시조, 수필)
한국문인협회 회원, 저서:≪검은 태양≫ ≪단비는 밤새 내려라≫ 등
시 천국에 살다, 소쿠리속의 이야기, 하늘과 산방 외 공저다수

2012 서정주 문학상 및 제3회 윤봉길 문학상 대상 수상
월간문학세계 한국문학을 빛낸 100인 선정
2019 독일 하노버 국제박물관 시화전 라이너 마리아 릴케상 수상
2020 한국을 빛낸 사람 대상(언론, 문화예술부문)
2020국제평화예술협회 주최 하와이 시화전 참여
2022 프랑스 파리 국제아트쇼시화전 참여 폴 엘뤼아르상 수상

수상소감

살을 에이는 엄동설한에 육신이 꽁꽁 얼어붙은 듯 冬眠에 들어간 동물마냥 비몽사몽 하고 있을 즈음 잠을 확 깨우는 반가운 소식을 들었다.
2024년 이육사 시맥 문학상 공모에서 수상의 영예를 안았다는 사실이다.
이육사 문학상은 나에게는 또 다른 큰 의미를 부여한다.
일제 강점기에 시인이자 독립 운동가였던 이육사 시인은 경북 안동시 도산면 출신으로 퇴계 이황의 14대손이다
필자 또한 진성李門의 14대손으로 이육사 족친은 同鄕의 형님이 된다.
그래서 이육사 문학상은 나에게는 더더욱 아주 큰 의미가 부여되어 남다른 감회를 느낀다
시인이라고 하기에는 아직도 많이 부족하다고 느끼고 있지만 나름 좋아하는 글을 쓰며 세월을 보내고 있다는 것에는 만족하니 그만 아닌가 싶다
삶은 메아리 같은 것이니 남은 인생도 즐겁게 살아가야 할 이유이다

검은 태양

먹구름에 칭칭 에워 쌓인
태양의 모습은 초라했다
몇 겹 구름에 둘려 쌓여 제 모습을 찾지 못하는
저 태양의 나약함을 그대들은 아는가

온 세상을 밝힐 수 있는 웅장한 빛을 가진 거대한 태양
먹구름에 감금당한 태양의 울부짖음을
그대들은 들어 보았는가

태양은 먹구름의 장난에
비까지 뒤집어 쓴 만신창이 몸으로
빛을 잃어버린 지 오래이지만
태양은 또
세상에 밝음을 전하기 위해
오늘도
몸속에 빛의 충전을 계속하고 있다

내가 살아있음을

엄동설한 살을 에이는 가혹한 아픔을 참으며
눈 덮인 땅거죽에 육신을 묻고
숨조차 제대로 쉬지 못함에
그저 이 혹한이 지나가기만을 기다렸다

무엇하나 걸치지 않은 알몸으로 북풍한설과
맞서려니 참으로 혹독하고 가혹하다

그래도 숨이 붙어있고 헐떡거릴 수 있는
약한 맥(脈)이라도 있으니 천만다행 아닌가

이 또한 내가 살아가야 할 길이기에
그저 참고 견딜 수밖에

머잖아
자연의 순리로 봄은 오고
꽁꽁 얼었던 나의 육신에도 온기가 돌아와
내가 살아있음을 몸소 느낄 수 있을 테니

허상

벌거숭이 꽃잎들은
새 찬 바람에 흩어지고

비틀거리는 생명은
붉게 타는 노을에 무너진다

상해버린 육신은
미라 되어 우뚝 섰고

불빛재물이 되는 불나방의 춤사위
별리는 일순간에 지나고

단비는 밤새 내려라

지구의 맹독

불타는 태양으로
지구는 벌겋게 달아올랐다

태양의 열기에
지구의 생명체들은 헉헉대며 꼬꾸라지고
수분을 잃어버린 육신들은 말라 비틀어져 갈 곳 없이 떠도는
영혼이 된다

만물의 영장인 인간의 치명적인 오류에
자연의 생태계는 코로나 같은 맹독을 쉴 새 없이 쏟아낸다

인간이 쉽게 제어할 수 없는 생태계는 지구를 멍들게 하고
이름조차 외우기 힘든 수많은 악성 바이러스 출현에
숨조차 제대로 쉴 수 없는 지구가 되어간다

가시밭 같은 지구의 맹독에
생명체들은 천길만길 절벽 나락으로 떨어지고

살아남은 몇몇 생명체들마저도
생사의 갈림길에서
썩어빠진 생명의 끈을 부여잡고 가쁜 숨을 몰아쉬고 있다

서리꽃 잔상(殘像)

계절 끝자락에

그리움 하나 남기고

하얀 서리꽃 잔상(殘像)

순백(純白)의 넋이 되었네

가슴 시린 그리움은

한 줄 시(詩)로 남아

계절의 문턱에서

움츠리고 있네요

나 어느 날 훌쩍 떠나도

살다가 어느 날 훌쩍 떠나도
나를 위해 아쉽다 울지는 마라
그래도 내 이름 석 자는 남기고 간다

아무것도 가진 것 없이 이 세상에 태어나
이런 곳 저런 곳 구경하며 살다가 보니
이제는 육체도 정신도 허물어지고

살다가 어차피 한 번은 가는 인생길
무엇이 서럽고 아쉽고 후회가 남으리
한 세상 살다가 훌쩍 가는 길

한 줌의 흙으로 돌아가리라
가벼운 재 되어 날아가리라
이래도 한세상 내가 가는 길

백목련(白木蓮)에 심은 사랑

천사의 미소처럼
봄의 숨결 겹겹이 드리운 백목련(白木蓮)이여
애절한 절개(節概)에 드리워진 그 순결(純潔)함에 취해
오수(午睡)에 빠져 든다

겨울 깊은 시름에서 진한 향기를 실어
백옥 같은 얼굴로 봄의 여인을 매혹 한다
백목련 진한 향기에 취해
금방이라도 코피가 날 것 같다

꽃이 지면 잎이 나니 그 인연 애절하고
밤새 내린 봄비에 오소소 몸을 떨며
멀어져 가는 하얀 숨결로
가녀린 목소리의 백목련은 속삭인다

오 사랑하는 나의 님이여
오 사랑하는 나의 빛이여

청량산 연가

물길 따라 칠백 리 길을
구릉 깊이 굽이쳐 흘러
무릉도원 청량산수에
넋을 잃고 물길 멈췄네
아
산이 좋아 물이 좋아라
낙동강아 청량산아
노국공주 한숨 소리가
어풍대에 울려 퍼지고

금강송의 새벽서리는
청량 산사에 울려 퍼지네
낙락장송 품은 달빛이
이방인을 울리니
살고 지고 살고 지고
청량산에 살고 지고

다관(茶罐)속에 꽃이 피니

속살이 훤히 들여다보이는 다관(茶罐)속에서
황금빛 금잔화가 요염을 떤다
이내 잔잔한 미소에 수줍은 처녀 마냥
콩닥거리는 가슴에 놀라
향기 가득한 찻잔에 입술을 내민다

금잔화 향기에 코끝이 간질거릴 때
혀의 능숙한 놀림은 싱그러운 향기를 단숨에 지배하니
꽃차는 유리다기(茶器)를 좋아 한단다

계절 따라 피는 꽃은
우리에게 향기 가득한 꽃차를 선물하고
달콤한 안식(安息)도 준비 한다

백자 청자 잔은 아니더라도
이미 다관(茶罐)속에서 꽃이 피니
동백꽃 차 한 잔에
소녀의 입안에선 벌써 봄이 열리고 있다

천추(千秋)여

속 알맹이 하나 없이 껍데기뿐인 세월이여
소갈머리 없는 철부지의 천추(千秋)여

이 세상 저 세상을 바람처럼 넘나들다
빛바랜 화폭 속에 슬픈 세월만 가득하네

부질없는 세월 속에 초로 같은 내 인생아
사는 것이 고행(苦行)이고 뜬구름 같아

가쁜 숨 몰아쉬는 남은 세월에
낡고 허름한 옷깃 속으로 나의 몸을 맡긴다

할매 - 1

함지박 넘치는 빨래
할매 허리 휘어진다
엄동설한 살얼음에 할매 손발 얼고 터져
할매의 서러운 마음 눈물 되어 흐른다

늘어가는 주름살은 삶에 대한 흔적이고
부질없는 세월에 쉼 없는 세월에
얽힌 정 드리운 정 어이 놓고 갈까 하여
삼베적삼 옷고름에 눈물 훔쳐 목을 놓고
이 밤도 잠은 멀어 돌아누워 흐느낀다

베갯잇 젖는 밤에 할배 생각 애절하나
이도저도 세월이고 살아가는 여정이니
문풍지 같은 할매 인생 늙음인들 안 올 손가
흘러가는 바람 따라 내 인생도 지나가니
할매의 쓴웃음에 세월도 울고 가네

할매 - 2

내 어릴 적 할매가 계셨지
보리밥 속에 숨은 쌀밥 골라 주던
할매가 계셨지

간 고등어 가시 발라 쌀밥 위에 올려주던
할매가 계셨지

내가 제일 좋아하던 청국장 매일 끓여주시던
할매가 계셨지

계절이 바뀔 때면 때에 맞는 옷 사주시던
할매가 계셨지

세월이 흘러 강산도 변하고
애틋한 마음, 깊은 정(情) 많으시던
우리 할매도
이제는 먼 길 떠나셨네

그래서 고목이 아름다워 보입니다

새잎을 많이 피우지 못해도
새 가지를 많이 치지 못해도
이미 세월의 흐름에 익숙해진 고목의 체온은 그래도
따뜻합니다
나뭇가지 사이로 파고드는 저녁노을을 잔잔하게 받아들이며
고목은 비로소 자신의 존재를 발견하게 됩니다
자신이 살아있는지 죽었는지
오랜 세월 많은 이들의 쉼터이던 곳
이젠 동네 사람들마저 찾아주지 않는 이유를 고목도 알고
있습니다
늙고 병든 자신의 몸을 고목은 알고 있지요
그래도 세월의 흔적을 감추려 여태까지 감춰왔던
마지막 남은 뿌리 하나에 의지하며
언젠가 또 한 번 꽃을 활짝 피울 수 있는 그 날을 마냥
기다리는 모양입니다
그래서
제 눈에는 아직도 고목이 아름다워 보입니다

탐라 해신(海神) 해풍(海風)이여

바람의 나라 탐라여
가파도 마라도가 한눈 속에 들어오는 송악산을 올라가니
중문 해신(海神)이 부린 요술의 거센 바람은
온갖 시름을 단번에 씻어내는 특효약이다

돌의 나라 탐라여
오랜 세월 거친 풍랑에 온몸을 찢기며
기암절벽(奇巖絶壁) 천하일색의 모습은
많은 사람의 탄성을 자아내기에 충분하다

해녀의 나라 탐라여
가녀린 여인의 몸으로 거친 풍파를 헤치며
바다의 보물들을 찾아내는 놀라운 재주에 무한한 감탄을
아끼지 않는다

말(馬)의 나라 탐라여
당나귀의 쫑긋한 귀 모양에 웃음이 묻어나고
늙은 경마의 마지막 종착역이라는 이곳

말 타는 곳. 뭇 사람들의 즐거움을 더해주지만
노쇠해 보이는 말들의 지친 모습을 보니
안타까운 마음 지울 수가 없다

쪽빛 바다 탐라여
살결처럼 하얀 함덕 바다의 모래는
해풍에 솜털같이 날리고 불볕더위에도 아랑곳하지 않고
물놀이하는 여러 나라의 사람들
그들도 이 순간만큼은 대한민국의 제주인(濟州人)이다

위대한 섬 탐라여
우도(牛島)의 거친 바람 금잔화를 떨게 하니
신목(神木)으로 대접받는 생달나무 위용에
바닷새 무리무리 우도(牛島)에서 길을 잃네

아 탐라여
대한민국 최고의 섬 탐라(耽羅)제주에
처가 식구와 4박5일의 추억을 담고 돌아감에
며칠 동안 소주 수십 병에도 취하지 않았던 건
제주의 아름다움과 해풍에 묻어온 그윽한 향취가
이미 육신을 취하게 만들었기 때문이리라

홀연히 흘린 그 눈물은

당신을 위해 흘리는
나의 눈물은 그 깊이를 알 수가 없답니다
예전엔 눈물을 흘려보지 못한 탓이겠지요
훌쩍 떠나버린
당신의 존재는 무엇입니까

봄 여름 가을 겨울 다 지나도
결국은 어느 것 하나도 떨쳐버리지 못한 당신의 허상 앞에
머리맡 베갯잇을 적시고 또 적셔도
아직 못다 흘린 눈물이 남아 있음을 알고
먼 길 떠나버린 당신의 존재를 이제서야 존경합니다

당신이라는 그 존재
이 세상 어느 것과도 바꿀 수가 없답니다
어떤 사랑과도 대신할 수가 없습니다
살다가 살다가
내가 당신 그리워 눈물지을 때
살포시 다가와 내 마음을 다독거려주세요

그래도 그래도 당신을 못 잊어 제가 흐느낄 때면
제가 잠들어 느끼지 못하더라도
따뜻한 마음으로 제 눈물 닦아 주세요

봄을 기다리는 여인

봄을 기다리는
여인은
겨울이 끝나 감을 아쉬워하지 않는다

봄바람은
여인의 가슴을 파고들어
여인네의 감춘 속살을 헤 집는다

봄바람은
민들레의 톱니 돋은 가장자리처럼
봉긋한 여인의 가슴에 묻혀
향긋한 봄내음을 피어 올린다

겨울바람이 봄바람을 시샘하고
우물가 살얼음이 봄바람에 떨고 있을 때

집 앞 담벼락엔
봄을 기다리는 여인을 유혹하듯
노란 복수초가 꽃망울을 터트린다

찬물에 밥 말아먹고

샘에서
길어온 냉수 한 그릇에
보리밥 한 사발 쏟아 붓는다

휘 한 바퀴 저으면
제자리를 잡는다

밥 한술 입에 넣고
풋고추 한입 베어 물면
뱃속에서 싸한 신호를 보낸다

또
한술 입에 넣고
굵은 멸치 한 놈 고추장에 꾹 찍어
입에 넣으면
오늘 점심 그만이다

천상(天上)의 순결(純潔)이 대지를 적신다

천상(天上)의 순결(純潔)이 대지에 내려앉아
뽀얗게 탐스런 白玉(백옥)의 입술로 내 몸을 애무한다

얼굴 위에도 눈 위에도 머리 위에도
멈추지 않는 백옥의 순결은 나를 지배하고 만다

어린아이 같이 순수하며
청년같이 우직스럽고
어른같이 천연덕스럽게
세상 어디를 봐도
온통 하얀 순결의 매혹에 정신을 잃고 만다

다소곳한 여인네 가슴처럼 뽀송뽀송하게 피어올라
아름다운 백로(白鷺)의 정갈한 숨결로 온 세상에 축복을
내린다
탐욕의 눈길에서 쉬이 무너져 버릴 것 같은
천성(天性)이 나약한 무색무취의 순결한 백설(白雪)이여

형형색색(形形色色) 무지갯빛 열두 가지 음색으로

인생을 노래하라

세상을 노래하라

천상(天上)의 백설(白雪)이여

천상(天上)의 순결(純潔)이여

어머님의 밥상

김이 모락모락 나는 가마솥 밥
청국장 시래기 된장국에 간 고등어구이

쌀밥 골라
할배 할매 아배 밥상 다 차리고 나면

쌀밥 한구석에 움츠리고 있던
보리밥 한술 떠서

타다만 시커먼 고등어 머리와
시래기 국 한 그릇에….

그래도
맛있게 드시던
어머님의 밥상

봄을 기다립니다

찬바람 부는 들판에 서서
나는
오지 않는 봄을 기다립니다

볼을 스치는 찬바람을 맞으며
나는
오지 않는 봄을 기다립니다

아직 채 녹지 않은 눈을 밟으며
나는
오지 않는 봄을 기다립니다

보리밭 양지바른 들판에 서서
나는
오지 않는 봄을 기다립니다

봄은 아직 멀리 있는 듯한데
나는 왜 오지 않는 봄을 애타게 기다리는지

먼 산 저 너머 홀로 피어나는
봄 처녀의
따스한 손길이 그리워서입니다

바닷가 나의 집

바닷가에
집을 지었다
안방 사랑방 아이들의 공부방
방 다섯에 거실과 서재 등
삼 층 집이다

이왕 짓는 거 넓고 우아하게 지었다
침대도 방마다 화장실도 방마다
화려한 샹들리에며 장식품도
고급스럽고 비싼 것으로 했다

누가 뭐래도
평소 꿈만 꿔 왔던 평생소원 다 이루었다
아이들 결혼 후 같이 살려고 마음먹고
3층으로 지었다

아침에 일어나 보니 아뿔싸 큰일 났다
밤새 심술궂은 파도에 내 집 다 무너졌다

그냥 지나가는 바람이려니 생각하게

살아가는 것이 다 그런 거 아닌가
바람이 불면 부는 대로 비가 오면 오는 대로
그냥 그때그때만 생각하며 살아 보게나

콩나물시루 같은 숨 막히는 도시에서
공장 굴뚝 연기로 뒤덮인
찌든 공기 한 모금 마시고 심호흡 한번 크게 해 보게나
매캐한 냄새가 코를 자극하면 재채기 한번 하면 그만이네

좌우전후 다 돌아봐도 빠져나갈 구멍하나 없구먼
아무 말도 하지 말고
그냥 사람들 틈바구니에 끼여 그냥 흘러 가보게나

빌딩숲에 차단되어 굴절된 빛은
되돌아올 것 같지는 않고
사람들에 체이고 짓 밟혀 버린 내 구두는
약 묻혀 닦으면 그만 아닌가

뭐 그리 복잡하게 살라고 하는가
되돌릴 수 없는 빛바랜 인생 아쉬워하지 말고
현실을 받아들이며 자네 방식대로 그냥 살아 가게나

욕심은 과욕을 낳고 과욕은 오욕을 낳는 법이라네

살아가는 모든 것이
그냥 지나가는 바람이려니 생각하게

우물 안의 개구리

우물 안의 개구리는
강의 깊이를 잘 모른다
우물 안의 개구리는 비의 양을 느끼지 못한다

우물 안의 개구리는
남의 식구를 모른다
우물 안의 개구리는 위험을 잘 모른다

우물 안의 개구리는
남을 의식하지 않는다
우물 안의 개구리는 홍수가 뭔지도 잘 모른다

우물 안의 개구리는
지가 제일 잘난 줄만 안다
우물 안의 개구리는 바깥 세상을 잘 모른다

우물 안의 개구리는
제집밖에 모른다
우물 안의 개구리는 걱정이 뭔지도 모른다

우물 안의 개구리는
팔자는 상팔자다
우물 안의 개구리는 지가 불쌍한 것도 모른다

그래서 우물 안의
개구리는
점점 바보가 되어간다

독경

부전(副殿)스님의
독경 소리에
가슴이 울고 눈물이 난다

삼라 만법의 스승이신
부처님의 가르침은
업(業)을 뛰어 넘으리니

염주 한 알은 세속 번뇌 씻기 우고
염주 두 알은 속세의 정을 끊어놓네

백팔염주 마디마디 임의 모습 담겼으니
일체 중생은 불성(佛聖)이 있어 그 진리를 알 터인데

세상의 모든 번뇌가 명리(名利)에 해탈(解脫)하고
삼라만상 모든 중생들은
성불득도(成佛得道)하소서

그래도 나는 꽃길을 걷는다

인생은 오르막 내리막이 있는
굴곡의 길을 걸어간다

가끔은
돌부리에 걸려 넘어지며
울퉁불퉁한 험한 길도 걷는다

엄동설한 맨발로 강물을 건너듯
살을 에이는 아픔도 겪게 된다

봄바람에 사르르 살얼음 녹듯
따스함도 느끼며 산다

그러한
굴곡진 삶을 살지라도
가끔은 봄바람 같이
따스한 미소를 느끼며 살지라도

나는 그 길이
평탄한 길이든 굴곡진 길이든
인생의 끝을 향해 걸어가는
꽃길이라 생각한다

동네 한 바퀴

소쩍새 슬피 우는 저녁 어스름
저녁노을 구름 아래 예삐 물들고
소쩍새 소쩍소쩍 울어 되는데

마실간 우리 엄마 소식이 없어
울 엄마 어디 있나 동네 한 바퀴

치매 걸린 울 엄마 기억을 못해
울 엄마 길을 잃고 울지도 몰라

여기저기 허둥지둥 동네 한 바퀴
동구 밖 언덕 위에 몸져누워서
엄마를 등에 업고 돌아오는 길

아범아 힘들지
미안하구나

서라벌의 밝은 달은

서라벌의 밝은 달은 천년고도 빛이 되고
문무왕의 삼국통일 한반도의 역사로다

대왕암(大王巖) 바위섬은 문무대왕 해중릉(海中陵)
역사의 창(窓)이로다
토함산 석굴암은 불국 세계의 관문
불국사의 자하문은 조형미의 불국정토

여기로세 여기로다 신라 수도 서라벌이
설화 속의 아사달 녀(女) 영지 못에 아른거려
에밀레종 슬픈 전설에 가슴은 미여 지고
천년고도 경주에는 신라 혼이 움을 트네

이곳일세 이곳이야 역사의 산지로다
서라벌의 밝은 달이 그믐달로 바뀔 즈음
신라의 거친 말굽 서라벌에 멈춰 서네

여운

내 마음 연초록에
풀 향기 묻어오면
싹틔운 눈망울이 구름 되어 흐른다

먼 하늘 달빛구름
빗질한 언덕마다

꽃구름 송이송이
가지마다 하얗게
순백가슴 풀어 내린 젊은이 늙은이여

덧없이 해 기우는
저녁노을에

휘감기는 바람소리
노랫가락 읊으며

잠시라도 한 발자국 다녀갔으면

김포 사랑 순애보

달빛에 익어가는
붉은 동백꽃은
김포 사랑 순애보

아름답고 황홀하다
김포 들녘 상징이어라

김포대교 쪽빛 한강
넘실대는 저 물결은

저녁노을 아쉬움에
넋을 놓은 새하얀 꽃잎

천년의 약속이 흐르는 아라뱃길은
농익은 별 무리가 넘쳐 흐르고

바람에 살랑이는 인적 드문 저 달빛은
김포 사랑 순애보

불나방의 춤사위

굵고 긴 밤 오리니
내 몸 추워도 가릴 것 없어라

길게 드리운 꽃무릇 양탄자에
생명의 불꽃 활활 태우리라

레드카펫 번쩍이는 불꽃 조명에
제 날개 타는 줄도 모르는

저 불나방의 현란한 춤사위는
단 하루를 위해

천년같이 살고지고
가는 목숨이련만

그래도
불나방은 끝내 울지 않는다

이
현
주

2012년 인문 책 “중국 통 ㅋㅋㅋ 전족을 블랙홀에”출판
2013년 인문 책 “돈 거지와 돈 총수” 출판
2017년 시 “종유석” 으로 신인 문학상 수상
202년 김천신문에 “된장” 한반도의 힘의 원천이며 생명의 근원이다. 칼럼 등재
2024년 이육사시맥문학상 수상집 공모에 선정
2024년 인문 책 “이런 된장 타임머신” 출판예정

수상 소감

이번 이육사시맥문학상 수상집 공모에 선정되어 너무나 기쁘고 감사드립니다.
여러 사람과 처음으로 시집을 가질 수 있는 것만으로도 처음 신인상을 받고 시인이 되었을 때의 뿌듯한 느낌이 다가오는 것 같아 너무 즐겁습니다.
특히 중학교 때부터 존경해 오던 이육사님의 문학상에 수상이 되어 더욱 기쁨이 두 배가 되는 것 같습니다. 님의 광야 "내 여기 가난한 노래의 씨를 뿌려라" 처럼
글로써 남아 많은 사람들의 가난한 노래가 되어 다가갈 수 있었으면 좋겠습니다.
제 시중에 "간략한 시"라는 시들이 있는데 이 시들은 시 속의 맨 마지막 행에 또 다른 시가 있기에 한번쯤 더 봐 주었으면 좋겠습니다. 시상으로 지은 시외에 시를 보고 시상과 함께 찾아온 새로운 시를 넣은 새로운 시의 형태를 구현해 보았으니 반감이 있어도 양해 바랍니다. 가볍고 즐거운 마음으로 읽어봐 주었으면 감사하겠습니다.

소한을 치고 간다

해는 지구를 보고 뜨지 않는다
달은 해에 쫓겨 지지 않는다

해가 지고 달이 지는 것이
스스로 알게 되는 것 이라면
지구는 멈출 것이다

산다는 것은 해처럼 달처럼
지구처럼 늘 하는 것이다

철새가 물놀이 하는 것을
텃새가 물끄러미 바라보듯
철 지나도 텃새는 철새 탓 하지 않는다

눈부신 햇살이 강을 비추고
찬 바람이 소한을 치고 간다

사랑

서로 마주 보는
수평선 같은 곳

돌아서 등대면
하늘과 바다만큼 먼 곳

서로 마주 보는
지평선 같은 곳

돌아서 등대면
하늘과 땅만큼 먼 곳

가끔 무지개가 뜬다

사람이 하는 거라
앞 뒤가 함께
헤어짐과 등대고 걷나 보다

땅은 다르구나

여름에 학질 걸린 양
푸른 숲으로 겹겹이 입더니

겨울이 다가오니
추워질수록 벗어버리고
누런 알몸 드러내

나는 널 보면
추워도 춥다 못하고
더워도 덥다 못 하겠네

전혀 다른 너인데
죽으면 다들 네 몸 속에 들어가려
애쓰고 애써도 자리도 없네

달라도 너무 다른 너
너로 빚어 만들었다니
세상은 온통 속임수 거짓투성이 구나

내 보는

내 보는 오늘은
어제 본 오늘과 달랐는데

보는 나는 달라지지 않은 듯
바라 보는 오만함

내 너를 알기를
다 안다 여기듯 보는데

정작 내 알기는
겉핥듯 밖에 하지 못 하니

내가 너를 보는 것도
너를 통해 나를 알지도
다가가 사랑한다 하기도

그저 이 몸 해탈하여
갇혀있는 이곳에서 보는 듯
안 보는 듯 부처하고 싶구나

간략한 시/ 조용한 대화

하얀 통 유리 창이
세상을 껴안았는지

산도 좋아라 하고
바다도 좋아라 하고
서로 좋아라 한다

추운 겨울인데
이들의 사랑은 말도 없이
시인의 귓가를 간지럼 태운다

아침을 연다

새벽에 아침을 연다

안 아프면 자느라
새벽도 아침도 달아나는데

아프면 새벽도 아침이 된다

옆 병상에는 밤부터 아침까지
때를 모르고 아프다니
밤도 아침도 아침을 연다

배움

나는 사람을 만든다
듣고 보고 맛 보고 느낀다

흐르듯 보고 지나감에 살아나고
강압 속에 죽어간다

전혀 몰라봐도
봄날 새싹 돋듯 나타난다

외워도 빠른 새싹은 나오나
열매는 독이 들어 사람을 죽인다

그대 과업을 이루고 있는가

때려잡자 쳐부수자 무찌르자
이룩하자 유신과업 맞으며 외웠더니
국기에게 무슨 맹세를 했는지
국민교육헌장은 때려야 되는 것인지
맞고 자란 어른과 애들이 범죄인이 되었다

간략한 시/ 돈

나는 세상 어디에도 없었지만
이젠 세상 어디에도 있는 돈이다

전쟁터에서 태어나 뒹굴다 보니
싸우는 곳 어디에서든지 부른다

이념도 초월하고 종교도 초월하고
국경도 초월하고 사랑도 초월하고
살고 죽는 것도 초월했다

피조물 이었지만 창조의 처음에 섰다
인공지능이 나의 창조물이자 미래이다

공산주의를 말하고 돈
자본주의를 말하고 돈
기독교 천주교 불교 이슬람교 유교 잡교
각자의 교리를 말하지만 돈
독재 군주 민주를 말하지만 돈

서로 사랑한다 하지만 돈이다

아무리 바꾸려고 발버둥 쳐도
늪처럼 더 깊이 빠져 든다

내가 사냥에 실패하면 가족은 굶는다
아 배고프다 오늘은 뭘 먹을까

하루

하루는 부모도 자식도 없는데
하루를 낳고 또 낳고

죽었다 여겼는데
자고 나면 태어나
다가오고 사라진다

하루 종일 살다가
하루가 되면 하루를 낳고 간다

하루 한 시를 보낸다

간략한 시/ 사랑 지워지는 것

살며 지워진 것에는
이유가 있었다

~~그 중에 사랑은 제일이라~~
~~지워지고 또 지워지고~~
~~깊을수록 더 지워졌다~~

사랑이 제일이라는데
지워지는 것은 신기루 같다

저 멀리 무지개는
언제나 봐도 예쁘다

인공지능

그러라고 만들어 놓고
만든 조물주를 공격한다고
인공지능만 나무란다

똥 싸고 땀나고
병들고 늙고 아픈 것은
다 접어두고
좋은 것만 확장했다 여기고
끝을 두고 지능만 높였으니
조물주가 적이 됨이 당연한 것을

공격한다고 트집 잡으니
조물주가 어린 것인가
인공지능이 어린 것인가

생로병사가 자연 속에 있으니
사는 것만 가르치면 죽는 것만 남는다.

SOS

멀리 여름이
주렁주렁 열린 듯 하구나

포근한 봄이 아직도 부끄러운지
지난 겨울을 사 오월에 끌어 내는데

여름아 봄 좀 데려가 다오
멀리 멀리 바람이 스치는 별로

누런 시기도
차가운 질투도
광야에 드러누워 바라보는
늙은 늑대는 봄이 야속하구나

여름아 긴 목 뽑아 높은 잎에
혀 감는 기린처럼 외쳐본다
SOS불타는 여름을 봄 보다 그리워할 줄이야

간략한 시/ 가지마다 잎

누런 먼지가 지나고
흐리지만 푸른 나뭇잎
가지마다 봄바람 타고

벚꽃으로 하얗게 물들었던 나무는
푸른 잎만 하늘거린다

키스해 달라고 나불거리는지
따뜻한 봄바람에 주체 못해 가만있지 못하고
소리 없는 수다만 주절 된다

자고 나면 새로이 나오는 것은
늘 반복 되도 새롭다

간략한 시/ 그 시절

누런 먼지가 데려다 준
어릴 적 놀던 거리

마치 친구들이 달려가고
함께 뛰놀던 장면들이
영사기 돌 듯 돌아간다

멀지 않은 공간인데
잡힐 듯 잡히지는 않고

그냥 흐르는 물처럼
흘러 지나간다

전에 없던 아이스크림이 눈에 띄어
달콤한 기억 속으로 넘어간다
나는 누구인가

빈 의자

봄 볕 쬐는지
한 켠에 덩그렇게
다 벗고 누워있다

놔두고 바라보자니
흔들거려 방해하고 싶어
털썩 주저 앉았다

언제 알기라도 하듯
이네 좋다고 흔들흔들
봄바람도 때 맞춰 살랑 살랑

푸른 잔디가 파계승 갓 기른 머리처럼
보송보송 돋아나 새 삶을 살려 한다

비어있지 않은 빈 의자
저 많은 사연들 안고
봄 볕 온몸으로 받고 있다

이 시대의 삼일절

잔다르크의 저항
마녀가 되어 성녀가 된
유럽의 시대상

삼일절 일장기가 나부기고
종교가 비폭력 독립운동을 마녀사냥 하는 시대상

국가도 죽어가고
국민도 죽어가고 있구나

이 천년 전 종교지도자의 존재는
피를 토하듯 신으로 추앙하고
눈앞의 성녀는 존재를 부인하는 구나

늙음

늙는다는 것은
몸이 다 되간다는 것

살아온 날 만큼
많이 알게 된 것

그 날도 가깝다는 것을 알기에 느긋해진다
가는 것을 뒷짐 지고 보고 오는 것을 막지 않는다

젊음에 미소 짓고
애기를 보면 절로 웃음 짓 는다

늙는다는 것은 즐거운 일이다
쉼 없이 달려온 삶에 작별하는 것이다

우연한 운명

이 시를 본다
그것은 우연이다

다 읽었다
그것은 운명이다

당신의 운명이 바뀔 것이다

사랑= 사냥90%+알 수 없는 마음10%

사냥 떠난 친구들이
몇은 죽고 돌아오면
사냥감은 사랑을 잉태하고

사냥감 없이 굶으면
서로를 사냥하게 된다

저축은 최악의 사냥을 막고
마음은 그 여유 속에 유희를 즐기고
사랑도 우정도 꽃이 되어 피어난다

넘치는 구나

까막 까치가 밀어낸
맹금류가 사라진 강에
물고기만 살찌고

물고기가 먹어 치운
잠자리들이 사라지니

모기가 계절 없이
더러운 난교 파티를 하누나

사람이 제 살자고
강을 맘 데로 만들고
산과 들을 제 맘 데로 놓으니

까막 까치 모기 물고기만
살찌고 넘치는 구나

몸이 거절하면

아무리 사랑 한다
다가와도
몸이 손 사례 치면

아무리 돈이 좋다
싸 들고 와도 몸이 거절하면

사랑도 돈도
신기루처럼 사라진다네

세상이 좋다 해도
죽을 때가 되어 가 버리면
어제처럼 사라져 버린다네

간략한 시/ 해가 달린다

해가 간다
어제 갔다 여겼는데

바다에 보석처럼
반짝이며 지나간다

겨울 속 여름이
벌써 저 수평선 끝까지
먼저 달려간다

바다는 늘 온몸에
소나기 치듯 안긴다

간략한 시/ 생명

나는 삶 자체를 만든다
동시에 죽음을 부른다

우주 전체에 있으나
별이 깜박이는 듯
나타났다 사라지기에
서로 있는지 없는지 알지 못 한다

살리는 듯 다 죽이는 것이
너희가 산다 여기는 전부이다

간략한 시/ 자유민주주의의 노 꾼

노 꾼은 배를 저어
갈 곳으로 가게 한다

선장은 안전하게 가게 한다

노 꾼만 배를 젓고
배에서 술 마시고 논다면
노 꾼은 노 저을 이유가 사라진다

채찍으로 때리고 죽인다 한들
갈수는 있으나 늘 불안한 상태
노 꾼이 사라지면 누가 노 저을까

자유민주주의 노 꾼과 선장은
효율적이지만
독재 왕권주의 노 꾼은 서로기만하고
효율이 없다

죽기 위해 사는 것은 독재자에게
밥 먹여줘야 한다

살기 위해 사는 것은 스스로 먹어야 하고
함께 먹어야 한다

자본주의는 그러하다

간략한 시/ 권력의 환상

권력들이 시끄럽다
저 잘난 것 만 아는지
낚시 꼬이듯 동쪽 북쪽에 서로 꼬였는지
국민의 안전은 뒷전이다

권력은 법이나 헌법으로부터
나오는 것이 아님을 잘 알 텐데
국민은 안중에도 없는지
지나가는 개 보듯 한다

다들 물먹는 하마 키우는데
세금 먹는 하마는 관심 없나 보다

간략한 시/ 법의 감옥

누더기 걸치고
양복 입었다는 법

죄인이면서
죄인 판결하는 법

일제 식민지법
이 나라 저 나라 법 갖다 짜깁기 하고
스스로 만들었다 하는 뻔뻔함

뻔히 알면서 법 개정도
제대로 안 하는 국회

법이 감옥에 갇혔으니
국민이 모두 잠재적 범죄자로 구나

사랑 찾고 애기 만들라는 아름다운 세상

간략한 시/ 물 닭 그리고 까만 놈

까만 돌인가
움직이는 것이 새가 아닌가

연신 대가리 물에 박았다 뺐다
돌이 됐다 새가 됐다

보고 있는 줄 아는지
있는 듯 없는 듯 멀어져 간다

왕이 있어도 없는 듯 하니
독도 내놔라 억지 부려도
적인지도 아닌지도 모르는 구나

여명

계곡 깊은 밤이 지나면
밝은 새벽이 높게 펼쳐질 거라는데

아직도 계곡 속을 지나고 있는 것은
너무 깊은 계곡 속을 지나고 있어서 인가

답답함에 소리 질러도 보고
탈출구를 찾아 헤매도 보고

이젠 익숙해져 어두워도 그만
답답해도 그만 이제나 저 제나

살아 있으니 해를 잡을 수 있으리라
눈 뜰 수 있으니 여명을 보리라 한다

떠나보내는 것

다 떠나보내고
하루가 가고
계절을 보내고

저 멀리 보이는
거울에 비친 나도 보내니

익숙하고 정든 것들은
떠나보내고 싶지 않아도
몸이 가야 하듯 보내야 한다

깔깔 데던 어린 나
낄낄 데던 어린 너
벌써 저 멀리 있었던지 없었던지
기억조차 멀리 떠나보내고

지평선 너머 지는 해 보내 듯
모두 멀리 떠나 보낸다

삶은 기억여행

모든 것은 기억여행

잊는 것조차 기억여행

더 돌아볼까

돌고 돌았더니
제 자리로 돌아 왔네

거울비친 모습
대단한 기세로 떠났던
그대는 어디 가고
돌고 돈 흔적만 남았는고

너무 작아도 세상은 넓고
너무 커도 세상은 넓구나

해는 아직도 중천인데
다시 돌아볼까 하니
석양만 붉게 아른거린다

장계숙

~1964. 시인. 2015년 [문학세계] 시<열등감> <가난> <틈>으로 등단. 이후 꾸준한 문학 활동으로 <위대한 자연>, <소나기>, <phonosapiens> 등 지역 신문과 문학잡지에 소개됨.

[저서]_『보이는 것 너머』

[동인지]_『내마음의 풍경』, 『동해문학』외 다수. [명인명시특선시인선] 다수 선정. 한국문인협회 공저 [한국문학인] 작품 다수 선정.

한국작가협회 공저 [한국문학인대사전]등재. 을지출판공사 공저 [한국시대사전] 등재. 한국문학 신인상. 한국문학 올해의 시인상. 한국문학 올해의 작가상. 한국문학 발전상. 현재 (사) 창작문학예술인협의회. 한국문인협회. 대한문인협회. 동해문인협회 정회원으로 활동.

수상 소감

생각해 보면 습관처럼 생각을 즐기며
자신을 겨냥한 무언가를 항상 쓰고 있었던 것 같다.
삶이 늘 불편한 현실에 찔려도
그 조건으로 부터 달아날 수 없다면
사색의 자유로움 속에서 희망을 발견하며
마음의 무게가 한층 가벼워짐을 느낀다.
자신의 내면을 펼쳐놓고 평가를 받는 일이
쉬운 일이 아니기에 망설여지긴 했지만
부족한 글 읽으시고 평가하시어
수상의 영광을 저에게 주셔서 감사드립니다.

목청

목청의 시대가 오고
소통 없는 그들만의 리그
냉랭하다
가슴을 뒤에 두고 무얼 할 수 있을까
간과 쓸개를 뽑아치우고
위선과 허세로 칠갑 된 말뭉치
오죽잖게 연신 쏟아낸다
누구를 위한 목청인가
지친 민심 생사를 묻고
삶의 냉기 맨몸으로 버틴다
흐물흐물 벗겨질 혓바닥의 농간
종종걸음의 추악한 진저리가
역사의 발끝에 아귀처럼 각축한다

또 겨울

시린 계절이 오고
차가워진 맘 끝에 꾸덕꾸덕한 슬픔이 괸다
온몸에 얼음 박혀도
운명을 안고 살아내는 영혼
거친 숨결 아름다워라
아픈 날들 덜컥 내려앉아
헛도는 바퀴처럼 삐그덕거리고
후련히 내쉬는 숨조차 죄인지
시련은 다시 찾아와 날카롭게 할퀴고 달아난다
움푹 팬 상처 여전히 우묵한데
견딤의 자리로 내몰아 놓고
버려진 곳에서
다시 일어나라 한다

중환자실

준엄한 하루가 아직 여기 있네
가까스로 잡은 눈시울의 축복
깜빡이는 눈빛 허공에 매달리고
결박당한 연명 누렇게 부풀어도
돈 없인 아픔조차 허락되지 않는 사막
기꺼이 발아래 조아려
무례한 누림의 여력일지라도
그리운 얼굴 이유가 되고
뜨거운 심호흡의 약속은
버릴 수 없는 사연의 눈물
식어가는 심장을 데우며
시간을 걷는 기억의 숨소리들

그늘의 비상

쪽창 너머 무수한 발길
종일 집안으로 뛰어들고
익숙한 소란쯤 머리에 이고 산다
아프게 밟히고 밟혀도
훌쩍이며 버겁게 삼키는 숨
건물 사이로 보이는 하늘
이따금 바다가 되고
항시 그 끝을 가보고 싶다
한줌 햇살 겨누는
땅속 어둠의 상처는
미치도록 일렁이는 지상으로의 오름
따스한 그늘 찾아
더딘 푸르름 던져두고
깊은 잠 속 수평선 위
갈매기 날고 있다

삶과 죽음

너에게로 가기위해
희롱당한 세월
뜨겁게 범람하던 생의 불꽃은
날마다 제 몸 태워 물인 듯 불인 듯
기척 없이 떠밀려와 재가 되니
삶도 죽음도 한 몸인걸
사람의 시간이
사람의 삶이
결국 죽음으로부터 버텨내야 할 전부라면
진의를 부검하건대
빛과 열기로 태웠던 밋밋한 일상이
전율이었음을

우정

인연도 까닭이라
흐뭇한 미소 번진다
맑고 투명한 날들의 잔상
기억의 모퉁이에 모여들어
변함없는 지지와 옹호로
삶을 해독하는 유쾌한 만남
잠시 걸음을 멈추고
시선 앞에 서로를 꺼내놓으며
해묵은 정을 나누네

독설

날카로운 이빨에 피 엉긴다
거친 생각이 으깨놓은 흔적
독설의 모진 냉소에
인간만이 각을 만든다
수평 수직으로 쪼개져
물방울 튀듯
사방으로 날아가 꽂힌다
향상할 수 없는 혐오가
솟아오르다 뿌리내려
거짓 같은 평온
위선의 배후에 숨어있다

침묵 속 상처

부족하면 부족해서 아프다
넘치면 넘쳐서 공허하다
채우고 싶지 않은 것도 있으리
가끔 몸뚱어리 살점조차 공허하다
죽으면 뼈 위에서 사라질 덤인 걸
사사로운 욕심을 꺾고
무심히 웃어보면
사는 일은
버릴수록 살만하다

회상

해묵은 일기장 속엔
식어버린 날들 희미한 귀퉁이 마다
마음을 그리던 풍경 가득하다
허허벌판 홀로 서서
짙푸른 삶 응시 하던 중얼거림
가시 박힌 줄도 모르고
뾰족하게 솟아 괴롭히던 통증
얼룩진 상처 꾹꾹 눌러 닦던
삶의 표면이 돌기로 가득하다
꿋꿋이 살아온 삶의 조각들
미처 발라내지 못한 가시가
한 번씩 맘을 찌르고
안간힘 사이로 스치는 눈물이
가슴 빼근히 미어져도
시간을 지닌 언어 여전히 살아
온몸으로 그날 기억한다

가을 실감

터질듯한 푸르름도
색색 마른 잎 허공을 날아
고독한 주검 눕히네
뉘라서 멈출 수 있을까
애틋이 살다 붙잡혀 가도
묵묵히 버리는 무심의 껍질
당당한 자의 여유인가
육신의 조각 소멸을 허락하고
다시 살아오는 생생한 걸음

비

너는 눈물마저 지우는
빛깔 없이 꽂히는 물기둥
휙 선을 긋고
머릴 처박는 목숨
쌓아도 쌓이지 않고
짓이겨도 짓이겨지지 않는
말갛고 촉촉한 숨
바닥을 떠돌다 바닥에서 사라지고
홀연히 왔다 훌쩍 가버리는
버리다 가는 생의 얼굴

꿀 먹은 벙어리

미끼를 삼킨 놈
마른침이 고여도
벙긋하다 탄로 날까
짖지도 못하고
먹는 입뿐이다

없네

사람만 있고
사람은 없네
마음만 있고
마음은 없네
티끌이
티끌로
티끌을 쫓아
태산이니
한없는 절망

땡볕 아래

성난 태양 아래 욱신거리는 하루
쏟아지는 땀방울 등 뒤에 묻고
아득아득 현기증 서럽다
잇몸 드러낸 웃음이
귀퉁이마다 녹아내리고
까맣게 타들어가
짓무른 눈물 밥 먹는다

벌겋게 익은 하루
어지러이 추락하면
어둠 속 그늘에 소금기 녹이며
집 찾아드는 무거운 발걸음
온몸으로 건진 밥그릇 무섭다
내일이면 다시
핏발로 일어서는 삶이여

고단

고달픈 삶의 수모는
시퍼런 절망에 웃어준 까닭
뾰족한 고통을 삼켜버린 까닭
세상 돌부리에 얼룩진 눈물도
한낮 그늘에서 썩어 버린 시간도
뜬눈으로 보내던 내 안의 숨
마음과 눈을 던져버리고
허기져 등 굽어도
개똥같은 고집 더듬어 간다

태풍

불온을 연마한 괴물
저 일념의 광기
미친 토악질로
한사코 머릴 박는구나
순순히 지나갈 리 없지
무슨 한풀이 그리 많은지
자비라곤 없는 육중한 몸짓
성한 곳 없이 할퀴고 쓸어가네

천지 경계 허물던 의기양양한 행패도
고작 패배로 끝날 뿐인데
눈물 삼키며 묵묵히 받아주는 풍경
지나감을 견디는
저 의연한 생명의 진화여
부서진 생의 조각들이
한바탕 헛발질에 저항하고
헝클어진 머리통을 씻고 있다
살아있음의 강렬한 인식과
그 온전함을 보증하듯

마음 면역

세월이 지나가네
계절마다 박힌 무수한 흔적
한사코 맘 헐어
지친 영혼 밟고 가네
개똥같은 언어 켜켜이 일어나
쪼그라든 맘속 짓무른 가지 자른다

시간을 앓던 퇴적의 비릿함
몇 가닥 촉수가 흔드는 희망에
오르던 맘 덧없는 주검
한숨과 위로의 반복된 몸짓
질곡을 깨고 나와
고통에 익숙한 오늘을 산다

물의 재앙

망설임 없이 해치웠다
염치없이 독을 토해놓고
번지는 얼룩마다 기형과 변이
그 추상의 그림을 관람하려는가
바다는 윽박질인 채
이제 뒤척이는 일 밖에
속절없이 뒤집히고 꼬여도
가혹한 죽음을 기다릴뿐
바다는 죄가 없다
심장을 벗겨놓은 저놈들
실체를 관통하는 악몽만 있을뿐

비 감상

무수한 추락의 꼿꼿함
빈 허공을 걷는 자기 잠식의 어둠
바닥 없는 무저갱에 빠져드네
삶의 정면을 뚫으며
숨 넘어가던 작열의 세월
수 많은 구토 빗물에 흘려보내던
강함의 얼굴이 두려움이었나
매순간 스미는 흔들림에
이젠 마른 하늘 잊고
저 빗소리에 묻혀
함께 미끄러지다
사라지고 싶네

고독의 해명

마음의 눈이 어두워
망상과 도취로 깊어진 세월
중독의 본질을 이해하며
우울한 손끝에 굳어진 언어
고독한 세상 표랑하며
발끝 저리게 서성이다
무한한 자유의 착한 풍경이
곁에서 말문을 열어주니
지천에 내가 있음을
어찌 그리 헤맸는가

낙엽의 독백

한때 화려하고 아름다웠지
까다롭게 내밀던 열정
이제 믿을 건 허공뿐이네
멋진 추락의 비행
더는 채울 수 없어 보여줄 것 없으니
이젠 기쁨을 줄 수 없다네
멋진 얼굴로 스스로 변신하며
감탄의 함성에 행복했으니
더는 미련 없다네
비틀어진 몸 바삭거리며
마른 숨의 불편함도 적응했으니
가벼운 영혼으로
날아야 할 까닭을 알고 있다네

미움의 이면

미움도 사랑이다
사랑이 넘치면 미움 되고
어느새 무엄의 가시 돋는다
찌르는 쾌감에 기쁨을 얻어도
세련되지 못한 순수한 집념인 걸
값싼 영웅적 참견의 오지랖
눈 속에 못을 지니고
미운털을 박는 비정
부족한 자기애의 겁인 줄도 모르고
불편한 감정에 휘둘리다
스스로를 고문하는 패배의 쓴맛
고단한 콤플렉스를 지우려
맑고 고요한 영혼에 푸념한다

응시

고고한 척 흐르는 난세
마음 끝을 구부려
어둠에 눈을 달고
뒷길을 분주히 오가니
또 욕심이다
세상을 우습게 보는 짤막한 인습의 죄
자신을 잡도리하지 않고
비굴한 탐욕에 갇힌 비루한 자들
양끝으로 멀어져 핏발 선 벌건 눈
힘의 우월만 난무하고
지조와 절개는 어디 있나

상처

뜨거운 입에 데인 맘
보태진 입들의 무게는
항시 껍질의 찬란함에 있네
눈으로 진화하는 향기
두께 없이 바람을 휘젓고
가볍게 하늘을 날고 있네

비석

바람이여
긴 침묵에 갇혀 잊으려 했건만
사시사철 썩지 않는 몸으로 서 있네
소리 없는 가슴
한 발짝 나서지도 못 하고
길고 긴 침묵으로
숲과 바위에 늘어진 영혼
죽음의 권태가 너무 길어
꿈이였던가
흔적 없는 날들
어쩌다 바람으로 깨어나
산 자의 입속에 이름으로 살아있나

어쩔 수 없네

떠나고 멀어져
발소리 하나 없네
우뚝 남겨진 게 내 탓은 아니야
단 한 번도 떠난 적 없으니
마음 적시던 가시밭길 지나
몸속 길든 고독
그리움도 구겨지고
기다림도 삭아
그림자조차 내 몫이 없는 걸
글썽이는 것 모두 모아
허공에 쏟아놓고
내 안에 접힌 날개
어쩔 수 없네

시무룩

바람 부니
툭
꽃 떨어지네
난봉꾼 분탕질에
목청 없이 꺾였네
꽃도 죽고
시도 죽고

흙 감상

땅속 내공 어찌 다 말할까
이념도 관념도 초월한 그윽함
따스한 내면의 헌신
나무도
집도
벌레도
인간도
땅거죽 위에 섰구나
모든 생명의 우주
살아서
죽어서
벗어날 수 없게
무상무념 침묵으로
씨앗을
육신을
파종하네
누구의 영혼인가
누구의 분신인가
푸르게 일어서는 발자국

절대 고독

지친 마음이
드높은 자유를 잃어버리고
바닥을 기는 어둠에 익숙해
스스로를 질식 시키는 침묵
나에게서
나에게로
자신과 직면하는 끔찍함
고립으로 응축된 이 작열함을
어찌 밟고 지나가나

시인의 봄

겹겹 무명의 빛 지우고
천년 묵언 늘어진 혀 끝에
얼음의 언어 무게를 내려놓네
어둠이 뱉어낸 수북한 언어
껍질을 탈피하며
대지의 심장을 뚫고 일어서네
볕 따라 이리저리 삐대없이 휘어도
뜨거운 눈빛 제 살 익혀 피운 꽃
품었던 향기 발꿈치를 쫓아
빈속 채우며 번지는 율동
봄이 온통 꽃이네

어떤 기도(disease)

저 우주의 시간을 마주하며
질병의 구속에 뒤얽힌 현실이
고통의 가면은 아닐까 하는 소망
애꿎은 시간을 탓하며 구걸한다
형태로 만져지지 않는 것들이
악의 징후로 비열하고 거침없어
기어이 다가와 몸속을 쑤셔놓고
고통을 도모하는 추악한 욕망
생의 발랄함에 달라붙어
정신과 육체의 뼈대를 발라낸다
오늘도 마음이 걷는다
차가운 바람 속으로
마른 가지 사이로
아름다운 세상 속으로
끝내 이겨내고 살아남아
허세 가득한 널 애도 하리라

Phono sapiens

책의 무게를 버리고
데이터를 움켜쥔 손끝이 두렵다
빠르고 유연한 감각
소리없이 기생하여 잠식하니
본질의 감옥에서 벗어나
마땅한 요구의 전망을 삼킨다
공평하고 투명한 정보의 유토피아
세상의 빛을 초월하네
전류의 맥박을 느끼며
부유물을 잔뜩 끌어안고
시각으로부터 정지한 듯 파묻혀
충성을 바치는 달콤한 시간
일상을 헐값에 팔아치우고
귀 밖으로 넘치는 이명에 시달려도
기계 속 세상을 배회하는 중독자
나를 피해 오늘도 쳇바퀴를 굴리며
실체를 잊은 그림자가 되어
기억의 두께를 깎는다

문득

청춘은 먼 길 떠나고
윤기 없는 끈기만 남아
무뚝뚝한 심연이 무얼 기다리나
서툰 낭만이 끌어들인 공허
앎을 거부하는 고집이 사방에 깃들어
자기 응시에 열중인 영혼
그들로부터
그것들로부터 멀어져
무감한 삶의 집념
몸짓 없는 구원은 없으니
허영으로 잇는
건조한 즐거움의 끝에서

정 연 국

月刊詩誌《풀과 별》1974년 데뷔 <대한민국문학예술대상> <세계문학상 대상> <세종문화예술대상> <모던포엠문학상> <대한민국명시인상> <대한민국불후명작상> <대한민국현대대표서정시문학상> <서정주문예대상> <이육사문학상> <우륵문화제 백일장 장원 1973년> 외 다수 수상

국제PEN(영국) 정회원. 세계문인협회 이사. 한국현대시인협회 이사. 한국문인협회 재정위원
대한시인회장. 세계모던포엠작가회원. 세계문화예술아카데미원장. 한국한비문학회 고문
현대시학회원. 명예문학박사. 건국대학교 행정대학원 총동문회 부회장. 사회복지사. 전기고급기술자. 전기설계사

[시집] 『살맛나는 세상 만들기』『꽃등 혜유미』『꽃등』『집시의 계절』『까발레로』『침묵의 밀어』『거울이 먼저 웃다』『마음이 헛헛할 때』『도담도담』 등 다수

수상소감

어둠이 짙을수록 고귀하게 빛나고
시련이 깊을수록 새뜻한 그댈 만난
오늘은 생애 가장 기쁜 날이어라

미소 한 모금
지혜 한 종지
인내 한 다발
사랑 한 아름

바다에 사뭇 고요히 도장 찍는 그대
마음꽃향기 그윽이 온 누리에 번지는
바로 지금 여기 가없이 평온하여라

침묵의 밀어

빈속에 빈 소라겔 살포시 머금자
고요의 울림 가없이 그윽한 바다여

게Ge는 유로파 이오도 다 살가운데
달은 해마다 손마디만큼 품에서 멀어져
서릿발 뭍바람에 지머리 옷깃 여미어도
마른하늘서 물고기비 퍼붓는 까닭으로
바다의 눈썹이 저리 센 건마는 아니리

빵모잘 눌러쓰고 푹 고갤 숙인 채
빈손 쿡cook 호주머니에 찔러 넣고
자이로를 돛 삼아 팽이 섬 에돌아
코스모스 깔린 무주동천無住洞天 되드니return

입 코 몽땅 가린 팬데믹 회오린
천마天馬네 소금꽃마차에 흰눈썹 흩날리며
마카 소래 개펄 햇귀로 스러지고

텅 비어 픈픈한 해밀 명징한 아침
가없이 거룩한 배달의 숨결이여

도담도담

명함 내밀 일 없는 시인이

간판 없는 맛집

지붕 없는 맛에

도담도담 웃겨서 우네

텃밭에 하이얀 단추만한

민들레 등 하나 켜놓았으니

입맛에 맞는 꽃냄새나

듣다[1] 가시게

도담도담

[1] [옛말] 냄새를 맡다

꽃님

성질 급한 홍매 나의 꽃님이시어
그대 맘 펼치는 걸 막을 순 없어

사랑에 행복을 주는 그대
처음 만나 나를 찾은 꽃다운

스무 살로 돌아간 오늘 행복에
사랑은 직률까 교률까 총명한 바볼까

어제가 그렇듯 오늘도 지나면
그리운 풍경 되어 마음을 적시리

날이 저무니 그대가 막막하고
그대 지니 내가 깜깜하여라

나를 입히고 먹이고 재워
나를 살린 나의 그대 시여

길

아무 탈 없이 물푸레가 천 년을
옆으로만 나이를 먹는 건 아니어서

슴베 품어 안고 거센 물길 따라
신발 속 모래알 발자국으로 다져진 길에

늘 있는 걸림돌을 징검돌 삼아
눈으로 눈을 찾아 벼랑을 내딛자

아뿔싸, 기억 없다
진실이 아닌 건 아니라지만

말 못 하고 침묵도 못 하는 시벽詩癖이
길 없는 길에 일 없는 일을 내어

우주를 건너 우리의 길을 여니
오늘은 간절히 바라던 내일이기에

무거운 짐 진 소 발자국 스러진
물푸레 길에 시인의 바람 가없네

마음이 헛헛할 때

무작정 걸어요
걷고 걸어도 헛헛할 때는

하늘을 지붕 삼아
허공에 시의 집을 짓고

시의 방에 들어
생각을 내려놓아요

고요가 심원하니
벽은 못내 허물어져

청풍 달빛에 영근 매미는
제 허물로 나무 허물 감싸고

만년송이 월악 영봉을 가르니
하늘재[1]도 세파에 넋 놓아요

[1] [삼국사기]에 맨 처음 실린 고갯길

포에지

어디에나 있으면서 어디에도 없는 시혼이
시간과 공간을 초월해서 홀연 와
보이지 않는 오브제를 내 가슴에 그리네
그대 시는 직류일까 교류일까 총명한 바볼까
시의 세계에 좋은 시는 드물고 시인만 드들드글
겨우살이가 칼바람을 껴입는 건
물푸레가 얼어 죽지 않는 까닭인가
미래가 과거를 품는 별도 없는 한밤에
바람도 없는데 흔들리는 이 누구인가
뉘 꽃일까 침묵과 소통하는 저 꽃은,
삶은 영원히 아니 가득 채워지는 블랙홀
꿈이 없으면 청춘이 아니네
내 심연의 마음은 깨지기 쉬운 거울 뒷면
시는 우리 마음의 심리자양분, 내 정화를 뛰넘네
발자국소리가 큰애들은 뒤꿈치 들고 뛰놀며 시를 즐겨 읊네
멋진 시는 내 가슴에 영원한 향기를 품어
살아있는 시를 읊으면 내 삶이 더 살맛이 나네
시는 마음자리에 뿌리를 둔 이상향
세상이 암울할 때 아무것도 하지 않는 것은 참 불행이네
내 얼굴은 내 마음에 의해 그려지네
은유의 공감감적 심장을 켜고 가만히 앉아서
그대 마음이 그린 그대 얼굴을 보네
우리는 우리의 마음이 그린 얼굴을 서로 마주 보네

시는 숨을 들이쉬고 내쉬는 사이에
홀연히 우리에게 왔다가 홀연히 사라져
기억 못 한다고 시가 아니 존재 하는 건 아니네
시는 시인에 의해 태어나고, 독자의 의해 성숙하네
시는 단순히 나의 힐링을 위한 글쓰기만은 아니어서,
내게 다가온 시의 마음을 받아서,
나는 다시 그대에게 건너 주네, 그대와 나의 우주를 건너서
나를 입히고, 먹이고, 재워 나를 키운 그대여
그림 없는 화랑에 침묵의 징소리
눈을 감으니 더 잘 보이네
작은 생각이 큰 세상을 열고,
세상을 바꾸기 위해 우리 자신을 먼저 바꿔야 하네
다 죽은 생명을 벌떡 살리고 싶을 때 시를 읊네
하루를 더 살 수 있다면 그 하루를 실컷 즐겨
참사랑이 쌓일수록 행복도 깊어져서
달빛은 옷가슴을 살포시 열어젖히고
밤새 허물 비늘 조각을 품에 사박사박 쓸어 담고
젖을 대로 젖은 하늘 바다는 아니 젖네
나를 벗어던지고 길 가다 길이 되네
오늘은 간절히 바라던 내일이라
무거운 짐 진 소 발자국 선명한
하늘길에 시인의 기도 가없네
좋은 시는 수백만 년을 아니 지는 향기를 품어
시인이 죽은 후에도 향기를 발산하는
우리 마음의 고향 산 역사의 거울이네
살맛나는 세상을 위하여 나아가요 포에지여

포에지 ii

시인Poet은 시공時空을 초월하여 침묵의 밀어로
다정다감 소통疏通하는 낙원Paradise 창조자이다.

에스프리 발현에 공감각적 은유가 농익은 시미詩味는
다층 발화로 아침을 여는 절창絶唱이다.

좋은 포에지를 만남은 기쁜 일이며,
좋은 시를 짓는 시인詩人을 만남은
백년지기百年知己 친구를 만남보다 즐거운 일이다.

마음이 헛헛할 때 ii

보고 보아도 보고 싶은
고향은 꿈속에 잠들고

단식 중인 거미줄에 걸린
뒷간 옆 고욤 밤낭구
벼락 맞은 감 대추 배
옹골찬 맛 깊디깊은 속내

모진 비바람에 고추잠자리
매미 설움은 갈가리 찢기고
귀뚜라미 애간장은 녹고 녹아
꼰대 시름에 먹구름은
서리서리 몇 타래인가

무논 갈던 얼룩소는 뿔을
꿈속에서도 갈고 갈아

쭈~욱 후줄근한 마음을
볕바른 빨랫줄에 펴너니

간밤 꿈결이 덩그러니 되살아나
고향 하늘을 맨발로 달려가네

숨

죽어야 사는 목숨도 있다.
마신 숨 내쉬지 못하면 죽어
숨 새로 우주가 나고 든다.

실크로들 쭈우욱 늘이면
안드로메다로 이어지고
확 당기면 방콕

얼굴을 맞대고
고래고래 지르는 건
가슴이 멀어진 까닭

빛이 어둠을 품고 어둠이 빛을 품는다
들숨 날숨 사이에
우주가 열리고 닫힌다

그 사이에 우리가 잠깐이다

삶의 강

강은 강물의 속도로 흐르게 두어요

강이 강물대로 바다에 이르는 건

우리네 삶도 그런 까닭에

강은 강물대로 흐르게 두어요

바다숲

침묵의 바다
우주 밖 우주는 말없이
가슴으로 말하고 가슴으로 듣네

밤하늘 헤엄치다
지구 굴러가는 소리에 얼 깬
백두대간 허물이 허물 탓하네

흔들리지 않는 바람나무숲
적멸은 다만 자신을 흔들고

텅 빈 바다숲
홀로 겨울밤을 하얗게 태우네

아름다운 건 다 슬퍼요

꽃이 맨가슴을 열어
잎새보다 먼저
속내를 보이는 건
첫사랑의 아픔이
애틋한 때문만은 아니어요

말없이 말없이
별 비늘을 에는
한철 사랑이
아름다움의 허물을 벗어

봄에서 여름 가을로 여위는
아리시린 맨가슴이
아름다운만치 슬픈 건
참사랑이 채
덜 영근 까닭만도 아니어요

아름다워서 슬퍼요 하냥
아름다워서 슬퍼요

빈자리

햇발 빨아들이는 응달
젖은 숯덩이에 묻어나는 하늘
죽지 잘린 허수아비 민소매
제비도 찾지 않는 처마 없는 빈 집
모든 게 그렇듯 말이 없다
하늘 한 동이 이고
골목길 휘청거리며
무너져 내리는 계절의
텅 빈 옆구리를 냅다 걷어차는
구겨진 인격과 헐렁한 의지를
텁텁한 막걸리 반 되로 여미며
밤은 또 낮은 곳을 벋딛고
술렁술렁 돌아가는 세상사
가마득히 잊힌 망초 묵뫼 옆
메아리도 떠난 그 빈 집에
여물을 썰어 채우는 건
부지깽이 애달픈
목쉰 헛바람 소리뿐

혜유미

무지개 꽃바람 싣고
벌나비 다소니 찾아들어
불 꺼진 가슴에 그댈 켜네

매미이마에 나비눈썹
생긋 앵두입술 상큼하니
그대 미소가 날 연주하네

이슬 머금은 그대 눈은 바다
흘금 고개만 돌려도 뭉클
내 가슴은 덩그러니 섬 되네

꽃다질 품어 숨 막히게
아리시린 생각 모다 사르니
만길 고요 속 파도무늬바람
꽃물결 따라 그윽이 혜네

보고 있어도 보고파
그리움이 그리움을 삼키네
그리움이 그리움을 삼키네

외옹치

가재가 노래하고 춤추는 외옹치
파도가 없으니 바다가 아니라

물푸레들이 손을 모아
하늘에 우물을 파네

퍼내고 퍼내도 아니 마르는
바다향기로 울컥

별을 노래하다
음악은 비같이 흘러내리고

발아래 내려놓은 허울
아침에 눈을 뜨니
또 기적이네

책에 다 못 쓴 시 허공에 그리다

겨우살이가 칼바람을 껴입는 건
물푸레가 얼어 죽지 않는 까닭인가

거믄 자작나무들이 하얀 수월 펄럭이며
고샅길을 갈지자로 질주하네

달빛을 분질러 빗자루로 엮어
가랑잎체 구름을 쓰네

칼바람을 끌어당기니
별빛이 후두둑 떨어지네

헛배를 졸라매고 등 굽은
원통 보릿고갤 간신히 넘네

울산바위 눈썹이 하얗게 센 까닭인가
노새가 굽을 벗어들고 미시령 되도네

별 쏟아지는 밤에

감꽃도 흐드러져
미래가 과걸 품는 밤

성근 북두성 국자로
미리내를 길어다
즈믄해로 우려

뿌리 깊은 소낭구
들마루에 나앉아
그대 향기 듣다

멍때리다

텅 빈 잔
불가촉
적멸에 들다

감 배꼽 떨어지던 날

나무가 꽃을 버리니 열매 맺고
강이 강을 벗어나니 바다 되고
내가 날 버리니 온 세상

감 배꼽 떨어지던 날이다

일은 재미나게
삶은 가슴 설레게
내 삶의 주인은 나

어둠을 걷어 아침을 여는
햇귀가 삼삼하다

그댄 낙엽 될 준비가 되셨나요?

공기 한 줌이 내 생이고
바람 한 줌이 내 삶이다

내가 날 업고 엎어지다
내가 날 안고 돌아보니

새벽 달빛이
베롱낭굴 살포시 덮는다

하늘이 옷을 벗어 던진다

첫눈처럼 그댄
낙엽 될 준비가 되셨나요?

풀과 별

아니 오는 우주선 기다리며
별을 꿈꾸는 풀꽃 이슬이여
심연의 그대 눈은 블랙홀
베개 높이 괴고 가슴속 별 헤네

이슬에 든 뭇별이 풀꽃에 입 맞춰
딱지 벗겨지니 새잎 돋고
꽃이 허울 벗어 열매 맺을 즈음
강이 이름을 버리니 바다가 반겨주네

마음 고쳐먹고 별 볼 일 없이
다 제자리로 돌아가 텅 빈 자리
자취 없이 사라지는 건 마카 설워
무주동천 잔 숨결 차마 바다해도

숨은 열쇠 품은 심연의 그대 눈은
우주를 말없이 고이 머금은
풀과 별 불멸의 심향이어라

허공을 주름잡다

팬데믹 가자마자
대벌레 가족이
소원 들어주는
경포 대나무숲에 모였네

애 대벌레는 경포 달 건지러 물속으로
할배 대벌레는 소똥구리 간 길
거스르다 화석 되고

숲이 목소리 낮추니
희망은 쓸수록 솟아나서
아내의 정원이 건하네

사철나무 울타리 헐린 숲
어제가 아제 속으로 들어가니
아제가 어제를 품어

어제 속에 든 걸 꺼내 다듬다
허공이 울컥 한 그릇이네

바람도 없는데 흔들리는 이 누구인가

그이는 깨지기 쉬운 거울 뒷면

줌마렐라는 강아지 목줄에 끌려
비 오는 날마다 그이와 이별하고

그이는 궂은비에 젖은 채
지붕 없는 창밖 서성이다
눈물 젖은 가랑잎에 밟히니
간절곶 절벽마저 무너져내리네

조간대 조석도 헐거워져
그이는 옷고름 풀어헤치고
은사시 뒤척이는 밤엔
시벽도 물구나무로 부레를 켜워

바람도 없는데 흔들리는 이는
참 누구인가

언강을 맨발로 건너다

눈이 강을 지우고
칼바람을 껴입는다

하늘도 얼어 터지는데
언강을 맨발로 건넌다

고드름은 언강을 물구나무서서
돋을새김에

얼음보다 차가운 맨발이
목을 멘다

거짓의 옷을 벗어 던지라
언강이 쩡쩡 경을 친다

긍정의 힘

멍 때리기 좋은 밤
망각은 신의 배려다

억만장자
억에 영을 곱하면 영
도루묵 되고

천만 시민
천만에 영을 더하면 억
온 길로 돌아가다 만난다

마음을 확 고쳐먹으니
과식해도 탈 없다

고운 말에선 향기가 난다

사람 몸에 날개 없는 까닭
마음에 날개 있는 때문만 일까

뿌리가 건강해야 나무가 건강하고
고비를 넘어 봐야 고비 맛을 알지

입에서 나오는 말이 마음
깨친 입은 먹고 마실 때만 열고 닫아

소리 없는 소리가 열린 귀로 소리 없이
들어와 말없이 소식을 전하니

거울 속 거울 따뜻한 말 한마디 없어도
침묵의 지느러미 마음의 부렐 키워

고운 말에선 장작 타는 내가 물씬
사랑하자 이해하자 다같이 사이다

적요가 바짓가랑일 잡아당기다

한강지게 우는 폭포 소리는 젖는 일 없다

입 없는 깔따구 살라도강을 거스르고

일 없는 그늘에 진흙소가 쉰다

적요가 바짓가랑이에 묵직하게 와닿는다

천년을 아니 지는 꽃

그대 눈은 별바다

눈꺼풀이 무조건 잡아당긴다

오늘을 간절히 접는다

소담소담

햇귀에 꿈을 싣고

입춘 아침 바람이

버들강아지 솜털로 오네

소담소담

백색 소음

고로쇠 우듬지로 물 길어 올리는 소리
겨울밤 두런두런 군밤 먹는 소리
나뭇잎 부딪는 소리 낙숫물 소리
동치미 국물 마시는 소리 모닥불 소리
시냇물에 모래알 굴러가는 소리
아기가 새근새근 잠자는 소리 파도소리

구름 사이로 달 가는 소리 꽃잎 벙그는 소리
돌담길 햇살 속삭이는 소리
매미 허물 벗는 소리
보리 익어가는 소리 새벽이슬 내리는 소리
우주 물레 잣는 소리
지구 수레 굴러가는 소리

거울이 웃는 소리 구멍 없는 피리 소리
느티나무가 천년을 걸어가는 소리
마음과 마음이 서로 주고받는 소리
마음의 길을 걷는 소리 마음의 창고를 여는 소리
싱그런 아침 하늘이 미소 짓는 소리
위기를 기회로 삼는 소리
천년 바위가 마음 비우는 소리

어버이날

한 생각을 돌리니 세상이 바뀌네

목소리가 큰 사람은 세상의 소리가 작다지만

목소리를 낮추니 세상의 소리가 더 잘 들리네

늘 생생한 부모님 말씀은 내 인생 교과서고

내 일생에 가장 감동을 받은 음악

부모님께 바칩니다.

3500만년을 걸어온 장미 다발을

위대한 바보

좋은 사람이 되기 위해 뭘 하시나요
좋은 남편이 되기 위해 뭘 하시나요
좋은 아내가 되기 위해 뭘 하시나요
좋은 부모가 되기 위해 뭘 하시나요
좋은 자식이 되기 위해 뭘 하시나요
좋은 이웃이 되기 위해 뭘 하시나요
좋은 선배가 되기 위해 뭘 하시나요
좋은 시인이 되기 위해 뭘 하시나요
좋은 세상이 되기 위해 뭘 하시나요